타로묘묘의
타로카드
레슨

메이저 편

타로묘묘 지음

누구나 바로 점칠 수 있는 타로카드 실전 리딩 북

타로묘묘의
타로카드
레슨

메이저 편

타로묘묘 지음

중앙books

작가의 말

타로카드와 만나기로 결심하신 여러분, 반갑습니다. 타로카드의 오랜 친구인 저로서는 새로운 친구들을 만나게 된 기분이에요. 이제부터 여러분의 새 친구가 될 제 친구, 타로카드를 알려드릴게요.

우리는 살면서 많은 결정 앞에 놓이게 됩니다. 작게는 오늘 점심 메뉴를 결정하는 일부터 크게는 사랑, 관계, 우정, 직업, 진로를 결정하는 것…. 세상과 나 사이에는 크고 작은 사건들이 끊임없이 펼쳐집니다. 인생은 갈등과 선택의 연속이라는 생각이 들어요. 무언가를 결정해야 하는 순간마다 '이 선택이 최선일까? 후회하지 않을 수 있을까?' 하며 망설여지기도 하고 불안감이 들 때도 많습니다. 때로는 내가 진심으로 무엇을 원하는지조차 알 수 없을 때가 있어요.

타로카드는 그럴 때 우리가 의지할 수 있는 든든한 버팀목이 되어줍니다. 어떻게 해야 할지, 어떤 선택을 내려야 할지 망설여지거나 막막할 때, 타로카드를 한 장 뽑아보세요. 우리의 진심을 꺼내볼 수 있도록 도와줄 거예요. 타로카드를 자주 다루다 보면 무엇보다 자기 자신에게 질문하는 능력이 좋아집니다. 또 고민이 생길 때마다 스스로 답을 내리는 힘을 기를 수 있어요. 타로카드는 결국 우리의 선택에 대한 확고한 의지를 심어주는 역할을 합니다.

타로카드 리딩, 해보고는 싶지만 왠지 자신이 없어 도전하지 못했다고 말하는 분들이 많습니다. 78장이나 되는 타로카드의 상징과 의미를 외우고, 또 리딩법까지 단숨에 익히기는 어렵습니다. 그래서 이 책에서는 타로카드의 핵심인 22장의 메이저 카드를 먼저 소개합니다. 사실 메이저 카드 22장만으로도 인생 대부분의 질문에 답할 수 있습니다. 메이저 카드와 먼저 친해지고 나면 자신감이 붙을 거예요.

카드의 의미를 외우는 것과 별개로, 질문의 테마에 따라 리딩을 풀어나가는 것에 어려움을 느끼는 분들도 많을 거예요. 이 책에서는 타로카드를 연애, 일, 금전 등 각 테마에 적합하게 리딩하는 방법을 상세히 알려줍니다. '이 분야의 질문은 이 키워드와 연결 지어 이렇게 해석해보세요'와 같은 일종의 도움말이죠. 테마별 리딩을 통해 여러분의 카드의 의미와 각 테마를 연결 짓고 해석하는 능력을 확장할 수 있습니다.

'어디서부터 어떻게 해야 할지 모르겠다'라고 생각하시나요? PART 1에서는 22장의 카드의 상징과 의미에 대해 상세하게 알려줍니다. 연애, 일, 금전 등 테마별로 어떻게 리딩하면 좋을지도 꼼꼼히 다루고 있습니다. PART 2와 PART 3에서는 질문 만드는 방법과 실전 리딩을 다루고 있어요. 연습을 통해 차근차근 체계적으로 타로카드를 만나실 수 있도록 구성했습니다. 이 책을 덮을 때쯤엔 여러분은 스스로 보는 타로뿐만 아니라 다른 사람을 위한 타로 상담도 가능해질 거예요.

함께 열심히 공부해봐요!

- 타로묘묘 드림

EVENT

『타로묘묘의 타로카드 레슨』을 구입해주신 독자분들께 준비한 특별한 선물! 타로 강의 10% 할인 이벤트를 준비했습니다.

타로 마스터 클래스
WITH 타로묘묘

[10% 할인 쿠폰 코드: 나다운]

스토리를 만드는 타로 여정, 타로묘묘와 함께 시작하세요.

나다운클래스(NADAWOONCLASS.COM)에서
'강의 수강하기' 신청 후 쿠폰 코드란에 '나다운'을 입력하면
10% 할인된 금액으로 강의 수강이 가능합니다.
※ 계정당 1번만 사용 가능합니다.

contents

INTRO

4 • 작가의 말

10 • 타로카드와의 만남

12 • 타로카드에서 메이저 카드의 역할

14 • 어떻게 메이저 카드만으로 타로 리딩이 가능할까?

16 • 타로카드의 종류

1

메이저 아르카나: 22장의 타로카드 레슨

20 • **바보** THE FOOL

26 • **마법사** THE MAGICIAN

32 • **고위 여사제**
　　　THE HIGH PRIESTESS

38 • **여황제** THE EMPRESS

44 • **황제** THE EMPEROR

50 • **교황** THE HIEROPHANT

56 • **연인** THE LOVERS

62 • **전차** THE CHARIOT

68 • **힘** STRENGTH

74 • **은둔자** THE HERMIT

80 • **운명의 수레바퀴**
　　　WHEEL of FORTUNE

86 • **정의** JUSTICE

92 • **거꾸로 매달린 사람** THE HANGED MAN

 98 • **죽음** DEATH

 104 • **절제** TEMPERANCE

 110 • **악마** THE DEVIL

 116 • **탑** THE TOWER

 122 • **별** THE STAR

 128 • **달** THE MOON

 134 • **태양** THE SUN

 140 • **심판** JUDGEMENT

 146 • **월드** THE WORLD

질문법과 스프레드: 간단히 살펴보는 실전 리딩

155 • 질문 정하기
160 • 셀프 리딩
164 • 다른 사람을 위한 타로 리딩
170 • 한 장의 카드가 말해줄 수 있는 이야기
173 • 타로카드 배열법

타로묘묘의 제너럴 리딩: 주요 질문별 리딩

182 • 타로묘묘의 제너럴 리딩 활용법
184 • "이번 달 연애운은 어떨까?"
188 • "헤어진 그 사람 내 생각 할까?"
192 • "상반기 나의 운세는?"

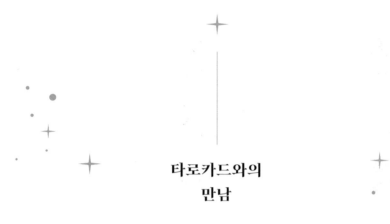

타로카드와의
만남

타로는 어느 날 제게 우연처럼 찾아왔습니다. 외교관이라는 꿈이 좌절되고 제 인생의 가장 암울한 시기를 지나고 있을 때, 우연히 타로를 만나게 되었어요. 타로카드에 그려진 그림이 너무나 아름다워 한참을 바라보았습니다. 그렇게 하나 둘, 타로카드를 구입해나갔어요. 구입한 타로카드가 어느 정도 쌓였을 무렵, 저는 카드에 그려진 그림들이 무엇을 의미하는지 알고 싶다는 생각이 들었고 타로 공부를 시작했습니다. 그때는 지금처럼 타로 콘텐츠를 만드는 제 모습을 상상할 수조차 없었습니다.

한 가지 재미있는 사실은 외교관이라는 꿈을 위해 치열하게 공부했던 영어가, 주된 자료가 모두 영어로 되어있는 타로를 공부하는 데 큰 힘이 되어주었다는 거예요. 결과적으로는 실패한 제 꿈이 열정적으로 타로 콘텐츠를 만드는 데에 큰 원동력이 되었습니다. 저는 깨달았어요. 외교관이라는 꿈은 단지 '실패한 꿈'이 아니라, 타로를 사랑하며 친구처럼 살아가는 지금의 저를 만들기 위해 제게 필요했던 정말 중요한 인생의 한 점이었다는 것을요. 마치 지금의 저를 만들기 위해 제가 겪어온 모든 경험들이 하나하나 점으로 이어져 있는 것 같다는 느낌을 받았습니다. 제 인생은 타로를 만나기 전과 후로 나뉠 정도로 정말 많은 변화가 일어났거든요.

타로의 원리도 비슷한 것 같아요. 우연히 카드를 뽑은 것처럼 보이지만 우연히 뽑힌 카드는 없으며, 우연히 카드를 선택한 것 같지만 내가 선택한 카드는 우연이 아니라 운명의 메시지가 될 수 있어요.

지금 이 책을 쓰게 된 것, 또 타로카드를 제작하게 된 모든 과정과 경험이 제 인생의 또 다른 중요한 점이 되기를 바랍니다. 그리고 이 책을 통해 여러분도 타로의 매력에 빠지게 되기를, 또 그것이 여러분 인생의 중요한 한 점이 되는 경험이 되기를 진심으로 바랍니다.

타로카드에서
메이저 카드의 역할

타로카드는 22장의 메이저 카드와 56장의 마이너 카드, 총 78장으로 이뤄져 있습니다. 메이저 카드는 메이저(Major)라는 이름에 걸맞게 타로카드에서 가장 핵심적인 역할을 맡고 있어요. 타로 리더분들 중에서는 메이저 카드만으로 리딩을 하고, 마이너 카드를 보조 카드로 사용하는 경우도 있을 만큼, 메이저 카드는 타로 체계의 핵심과 키워드를 가지고 있습니다. 메이저 카드는 '인생을 통틀어 특히 중요한 일' '운명적인 사건'을 의미하기 때문에, 메이저 카드를 학습하는 것은 타로카드 전체를 이해하는 데 있어서 가장 중요한 첫걸음입니다.

인생의 거대한 사건, 중요한 환경, 장기적 이슈, 원대한 목표 등을 다룰 때 메이저 카드를 사용합니다. 메이저 카드는 살아가면서 만나는 '인생 과업'을 상징하기 때문에 이를테면, 죽을 때까지 기억에 남는 사건 같은 강력한 영향력을 지니고 있어요.

메이저 카드를 보시면 숫자와 함께 인물의 이름이나 카드의 정체성이 영어로 적혀 있습니다. 로마자로 숫자 0부터 21까지 적혀 있죠. 메이저 카드는 0번 바보 카드에서 시작해서 21번 월드 카드로 끝나기 때문에, 0번 카드의 주인공인 바보의 인생 여정이라고 말하기도 합니다. 한 인간이 겪는 탄생, 만남, 행복, 슬픔, 죽음 등 인생에서 일어나는 중요한 사건을 22장에 모두 담고 있다고 보는 것이죠.

　메이저 카드에는 '바보' '마법사' '여사제'처럼 인물이 중심인 카드가 있고, '별' '달' '태양'처럼 자연 현상에 관한 카드도 있습니다. '악마' '운명의 수레바퀴'처럼 인간이 상상으로 만들어낸 존재도 있고, '죽음' '정의'처럼 추상적인 관념에 대한 카드도 있습니다.
　메이저 카드에는 인생의 삼라만상, 희로애락이 모두 담겨 있습니다. 머지않아 우리에게 찾아올 인생의 중요한 장면, 막강한 영향력을 가진 사건에 대해 메이저 카드는 '알람'을 울려주는 존재입니다.

어떻게
메이저 카드만으로
타로 리딩이 가능할까?

    메이저 카드는 0번 카드의 주인공이 겪는 인생 전체의 여정을 상징하기 때문에 인간이 겪는 모든 사건, 감정, 역경, 극복 등을 포함하고 있습니다. 그뿐만 아니라 인물의 특성, 타인과의 관계, 인생의 주요 사건, 환경적 요인과 맥락을 두루 나타내고 있죠.

    78장의 타로카드 상징을 단번에 익히는 것은 결코 쉽지 않습니다. 카드를 뽑고 나서 해석하려고 하면 쉽게 그 의미가 떠오르지 않죠. 이때 메이저 카드를 먼저 정복하는 것이 훨씬 유리합니다. 메이저 카드에 등장한 상징, 특징, 그리고 전체적인 해석을 먼저 익히고 나면, 마이너 카드를 공부할 때도 좀 더 수월해집니다. 메이저 카드와 겹치는 내용이 많기 때문이죠. 메이저 카드의 숫자, 인물의 표정과 자세, 특정한 상징, 전체적인 색감과 분위기 등이 마이너 카드에 중복되어 나타납니다. 메이저 카드를 공부하고 나서 비슷한 뜻을 가진 마이너 카드를 만나게 되면 좀 더 의미를 확장해서 이해할 수 있고, 더욱 풍부한 해석이 가능해집니다.

즉 타로카드 78장의 축소판이 메이저 카드라고 할 수 있습니다. 메이저 카드를 먼저 익힌 뒤에는 타로카드 전체로 그 해석을 확장시킬 수 있습니다. 메이저 카드 22장만으로도 충분히 타로를 리딩할 수 있고, 여러 고민들에 대한 답을 구할 수 있죠.

상상해보세요. 50년, 100년, 몇 년을 살았든 죽음의 순간이 다가오면 아주 짧은 단편영화를 보듯, 그야말로 조각난 장면들이 주마등처럼 스쳐 지나갈 것입니다. 죽음을 앞둔 순간에 인생의 장면이 축약되어 빠르게 스쳐 지나가는 것이죠. 바로 이 빠르게 스쳐 가는 축약된 인생의 주요 장면들이 메이저 카드 22장과 같다고 이해하시면 쉬울 것 같습니다. 타로 리딩을 하는 데 있어서 모든 질문을 메이저 카드로 답할 수 있다는 사실도요.

타로카드의
종류

　현재 시중에 판매되는 타로카드는 적어도 수천 종이 넘을 거예요. 기본 상징에 충실한 카드도 있고, 섬세한 디테일이 가미된 카드도 있죠. 대표적인 타로카드는 '라이더 웨이트 스미스 카드'입니다. 흔히 '라이더 웨이트'라고 불리는 카드입니다. 가장 대중적으로 잘 알려져 있는 카드죠. 1909년 영국 라이더 회사에서 제작한 카드로, 아서 에드워드 웨이트가 설계했고, 파멜라 콜맨 스미스 작가가 그림을 맡았어요. 그래서 이름이 라이더(회사 이름) 웨이트(제작자 이름) 스미스(그림 작가 이름)가 되었죠. 또 '유니버설 웨이트'라는 이름도 많이 들어보셨을 텐데요. 유니버설 웨이트 카드는 라이더 웨이트 그림을 현대적으로 각색한 것이기 때문에 라이더 웨이트 계열 카드입니다.

　라이더 웨이트 카드는 오랜 세월 동안 축적된 타로카드 체계를 논리적으로 정리했고 인류 공통의 상징을 포함하고 있어, 발매 후 100년이 넘는 기간 동안 사랑받았어요. 그래서 관련된 자료도 많고 라이더 웨이트 체계를 이어받는 타로카드들이 매우 많습니다.

타로카드 관련 교육 자료들 역시 라이더 웨이트 카드를 기반으로 제작되는 경우가 많아요. 예술적인 감각이 돋보이는 타로카드들도 주로 라이더 웨이트 체계를 유지하고 있습니다. 따라서 라이더 웨이트 카드로 공부하면 기초를 탄탄히 할 수 있고, 먼저 라이더 웨이트 카드를 숙지하고 나면 기초가 잡혀서 다른 다양한 카드를 접할 때에도 좀 더 쉽게 접근이 가능합니다.

하지만 라이더 웨이트 카드의 디자인, 분위기 등이 현대적인 상황에 적용되기 어려운 경우도 있죠. 그래서 수많은 종류의 다양한 카드들이 탄생하고 있고 사랑받고 있습니다.

이 책에서 소개되는 제가 직접 제작한 타로카드는 라이더 웨이트 카드의 체계를 따르고 있습니다. 타로카드의 정체성, 숫자, 대표 상징, 키워드 등을 유지하고 있으면서도 예술적 심미안을 충족시키는 현대적 감각과 섬세한 터치의 일러스트로 더 풍성한 리딩이 가능하도록 설계했어요. 자꾸 들여다보고 싶은 아름다운 덱이면서 동시에 쉽게 리딩할 수 있는 덱이 될 수 있도록 열심히 만들었습니다. 이 타로카드로 즐겁게 리딩해보세요.

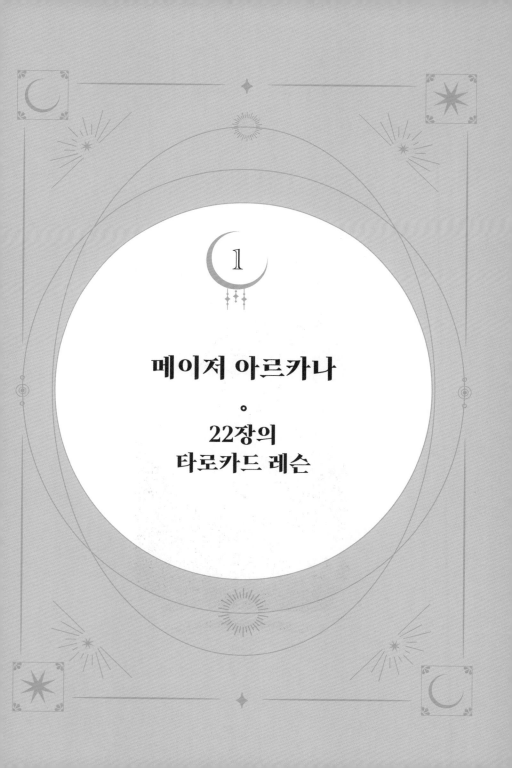

1

메이저 아르카나

◦

22장의
타로카드 레슨

THE FOOL

THE FOOL

바보

"무한한 가능성을 바라보며 자유를 찾아 떠나요"

))) ◯ ((

순수한 마음, 부푼 꿈을 안고 새로운 여행을 떠나는 청년의 모습입니다. 가슴을 활짝 편 청년의 모습은 거리낄 것이 없는 자유로움을 보여줍니다. 청년은 미지의 세계에 대한 기대감으로 벅차 있으며, 순수하게 자유를 만끽하고 있어요. 이 카드는 새로운 시작을 의미합니다. 새로운 운명의 문이 열릴 거예요. 무엇이든 할 수 있고, 무엇이든 될 수 있고, 어디든 갈 수 있는 자유가 이 청년에게 있습니다.

그런데 여행을 떠나는 사람치고 짐이 거의 없는 모습이에요. 가진 것을 다 버리고 새로운 여행을 떠나는 것처럼 보이죠. 그런데도 지나치게 해맑아 보이는 모습은 대책 없고 준비가 철저하지 못한 사람처럼도 보여요. 묵직한 신뢰를 주는 타입은 아닐 것 같네요.

이 사람은 계획 없이 '당장 떠나자!'라고 외치는 사람이에요. 그런 제안이 반가울 때도 있지만, 때로는 뒷감당이 안 될 것 같다는 생각에 걱정되는 것도 사실이죠. 하지만 도전하지 않는 사람에게는 성공도 없습니다. 이 청년처럼 가시 돋친 장미꽃을 손에 쥐었어도, 낭떠러지가 있어도 일단 가보는 거예요. 거대한 여정에는 위험이 도사릴 수밖에 없고, 실패하더라도 우리는 삶의 교훈을 얻어갈 거예요.

• ✦ • ✦ • ✦ 타로카드 속 상징과 의미 • ✦ • ✦ •

활짝 편 자세
자유, 거리낄 것이
없음을 상징

손에 든 흰 장미
순수함의 상징.
그러나 가시가 있으니
조심해야 함을 의미

강아지
세상의 조언을 의미.
그러나 청년은
듣고 있지 않는 모습

낭떠러지
숨겨진 위험,
아슬아슬한 줄타기,
위태로움

⚷ 긍정적 키워드

새로운 시작,
순수함, 여행,
설렘,
예상을 뛰어넘는 움직임

⚷ 부정적 키워드

즉흥적,
책임감과 신중함의 부족,
예상치 못한 후폭풍

어떻게 리딩할까?

연애

타로
묘묘's
TIP

'새로운 시작' '기존에 한 번도 해보지 않은 것'
'신선한 자극'을 중심으로 해석해보세요.

솔로

예상치 못했던 새로운 인연과의 자유로운 로맨스

한 번도 만나보지 않았던 타입의 사람에게 끌리거나, 처음 가는 장소에서 사랑이 시작될 수 있음을 의미합니다. 연애세포가 살아날 만한 새로운 자극이 등장하는 것을 의미합니다. 스킨십이 있을 수도 있겠네요.

이 카드는 즉석만남, 헌팅, 바람둥이, 어장 관리를 뜻하기도 하며, 평생의 동반자를 만난다고 보기는 어렵습니다.

커플

관계가 새로운 국면을 맞이하게 됩니다

동거, 약혼, 결혼 등 '새로운 단계로 도약'하고 '조금 더 진지한 관계로 발전시킨다'는 결심을 하게 됩니다. 만약 이미 진지한 관계였다면 새로운 자극이 기존 관계를 흔들어놓을 수도 있습니다. 함께 여행을 가거나 새로운 취미를 찾는 등 관계에 새로운 자극을 불어넣는 방식으로 극복해보세요.

재회

굳이 과거에 연연하지 마세요

바보 카드는 새로운 것에 더욱 끌리게 되는 시점을 의미합니다. 과거의 연인과 나 자신 모두 새로운 인연에게 더 끌리는 상태예요. 지금은 과거를 털어내고 새로운 여정을 떠나야 할 때입니다.

일, 학업

타로
묘묘's
TIP

'새로운 장면'
'예측할 수 없는
가능성'이란 의미를
연결해서
해석해보세요.

이직, 부서 이동 등 변화가 있을 것입니다

전공을 바꾸거나 이직, 부서 이동이라는 변수가 등장할 수 있습니다. 새로 사업을 시작하거나 N잡을 염두에 두고 있다면, 곧 도전의 시기가 다가올 것입니다. 이직을 위한 준비나 자격증 공부를 시작하게 될 수 있습니다. 또는 별 뜻 없이 도전했던 일에서 영감을 받게 될 수도 있습니다. 내 학업이나 일에 대한 새로운 관점을 갖게 됩니다.

금전

타로
묘묘's
TIP

'새로운 시작'이
있을 때, 금전운이
따라올 거예요.

투자에 관심이 생길 수 있습니다

현재의 자금 흐름에 물음표를 던지게 될 것입니다. 기존의 수입 구조에서 벗어나 새로운 관점을 얻게 될 수 있어요. 부동산이나 주식 투자에 관심이 생기고, 실제로 투자에 나설 수 있어요. 당장 엄청난 수익은 기대하기 어려울 수 있어요. '이제 막 시작하고 도전하는 단계'니까요. 하지만 도전하지 않으면 성공은 기대하기 어렵겠죠.

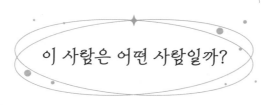

이 사람은 어떤 사람일까?

자유분방하고 소탈한 사람

낭떠러지가 앞에 있어도 걸음을 멈추지 않는 이 사람
은 자유분방하고 소탈한 사람이에요. 욕심이 크지도
않고 소박하며 어려움도 툴툴 털고 일어나는 사람이
에요. 한편, 낭떠러지 같은 위험 요소를 꼼꼼히 판단하
지 못하고 책임감이 부족한 사람으로도 보입니다. '누
가 뭐래도 나는 나의 길을 간다'는 식으로 뚜렷한 주
관이 있습니다. 그 여파로 타인의 조언을 잘 듣지 않고
고집이 센 면도 있습니다.

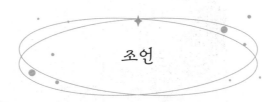

조언

평범한 일상에 새로움을 불어넣어보세요

자연 속을 거니는 카드 속 청년처럼, 산책을 하면서
기분 전환을 하는 것도 좋습니다. '지금 내가 있는 환
경에서 어떻게 하면 새로움을 불어넣을 수 있을까?'를
고민해보세요. 타인의 시선 따위는 신경 쓰지 말아요.
앞으로 다가올 기회는 무궁무진합니다. 도전하세요.
마음이 이끄는 대로 움직여보세요. 행운의 여신은 반
드시 당신 편이니까요.

THE MAGICIAN

마법사

"못 하는 게 없는 능력자, 잡힐 듯 말 듯한 멋쟁이"

))〇((

마법사는 카드의 정면을 바라보고 있습니다. 자신감이 넘쳐 보입니다. 위로 높이 치켜든 오른손은 자신감이 하늘을 찌르는 것을 의미합니다. 그림 속에는 컵, 동전, 칼, 나무 막대가 보입니다. 바로 마이너 타로카드에 등장하는 4원소입니다. 4원소가 그림 속에 모두 있으니 이것은 모든 것, 혹은 무엇이든 만들 수 있도록 재료를 모두 가지고 있다는 의미가 됩니다.

마법사는 모든 것을 가진 데다, 무엇이든 만들어낼 수 있는 무한한 능력까지 가지고 있는 인물입니다. 그래서 어떤 관객이든 유혹할 수 있죠. 외적인 매력이 넘치고 카리스마 넘치는 사람이라는 의미도 있습니다. 또 머릿속으로만 구상하는 인물이 아니라 실행하고, 창조하고, 증명하는 사람입니다. '완벽한 때가 오면 내 능력을 드러내겠다' '나는 할 수 있다'라는 뚜렷한 의지로 해석할 수도 있겠고요. 화려하게 피어 있는 장미와 백합은 마법사의 이러한 능력을 찬양하고 축하한다는 것을 나타냅니다. 우리 모두 마법사의 능력을 가지고 태어납니다. 아직 발휘할 때를 만나지 못했거나, 아직은 준비가 덜 되었을 뿐이죠. 남은 건 행동으로 옮기는 것뿐입니다.

• ✦ • ✦ • 타로카드 속 상징과 의미 • ✦ • ✦ •

**하늘을 향해
뻗은 손**
자신감, 우월한 능력

장미꽃과 백합
마법사의 능력을
축복하고 찬양하는
의미

**테이블 위의 컵,
동전, 칼, 나무 막대**
4원소를 상징.
모든 것을 가지고
있다는 의미

**머리 위
뫼비우스의 띠**
무한한 능력과
뛰어난 지성

푸른빛 가운
논리, 이성,
지혜를 뜻함

⚷ 긍정적 키워드

창조, 멀티태스킹,
자신감, 재능,
뛰어난 외모와 스펙,
순간 판단력이 강함,
임기응변, 사업가, 달변가,
유명세, 연예인

⚷ 부정적 키워드

어장 관리에 말려들다,
이기주의,
자기 멋에 취해 사는 사람,
과도한 자신감,
나르시시즘

어떻게 리딩할까?

연애

**타로
묘묘's
TIP**

'못 하는 것이 없는 능력자'를 연애운에 적용해보세요.
'매혹의 선수' '다재다능한 사람'을 연애 장면에 대입해보면 됩니다.

솔로

인기가 많아지고 매력이 넘치는 시기

매력이 넘치는 시기입니다. 외모나 능력으로 주목받으며, 소개팅 제안을 받게 될 수 있어요. 하지만 상대방에 대한 질문에 이 카드가 나온다면 어장 관리에 주의해야 합니다. 외모나 조건이 출중한 사람이라 인기가 많을 것 같네요.

커플

함께 있으면 못할 것이 없다는 자신감이 생깁니다

두 사람이 가지고 있던 부족한 점이 채워지고, 관계가 단단해지는 시기입니다. 마법사의 모습은 자신감이 넘치죠. '함께 있으면 못할 것이 없다'는 자신감이 생기는 시기입니다. 함께하는 미래를 구체적으로 계획하고 실행에 옮기게 됩니다.

재회

연연하지 마세요. 새 술은 새 부대에!

과거의 인연보다는 '새 술은 새 부대에'라는 마음이 필요합니다. 마법사 카드가 나오면 매력이 올라가는 시기입니다. 과거의 인연에 연연할 필요가 없습니다. 애매한 어장 관리에 매달리지 마세요.

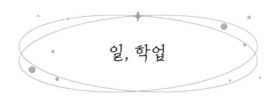

일, 학업

뛰어난 능력을 인정받게 됩니다

이제까지 쌓아온 실력과 재능이 충분합니다. 조만간 갈고닦은 능력을 보여줄 때가 올 것입니다.

당신의 분야에서 유명해질 것입니다. 능력이 뛰어나다는 것을 인정받게 되고, 주도적으로 학업이나 업무를 진행시킬 수 있어요. 시험이나 승진에서도 긍정적인 결과를 얻을 수 있습니다.

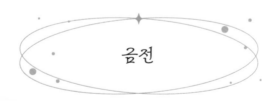

금전

금전을 불러오는 최상의 카드

투자해둔 곳이 있나요? 곧 긍정적인 결과가 나올 것 같네요. 아직 투자한 곳이 없다면 당신의 남다른 안목을 발휘해보세요. 확실히 수익이 나올 수 있습니다.

타고난 손재주로 창업하게 될 수도 있고, N잡을 하면서 금전을 얻게 될 수도 있는 운입니다. 정확하게 판단하고 행동으로 옮길 수 있으니, 금전운으로는 최상의 카드라고 볼 수 있습니다.

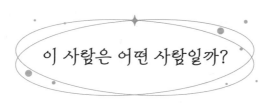

이 사람은 어떤 사람일까?

어디 하나 빠질 데가 없는 사람

공부면 공부, 운동이면 운동. 어느 하나 빠질 데가 없
는 사람이네요. 타고난 재능이나 환경이 우월합니다.
실패를 하더라도 바로 다시 도전하는 힘이 있는 사람
이에요. 어디서든 환영받는 사람이고 말주변도 좋습
니다. 반면, 자기중심적이고 100% 신뢰할 수 없는 사
람이기도 합니다. '이 정도는 당연히 할 수 있어야지'
하며 타인을 쉽게 평가하는 면이 있으며, 주목받고 싶
어하는 성향도 강해요. 거짓말도 능숙합니다.

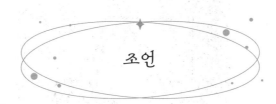

조언

무한한 가능성이 있는 당신, 자신감을 가지세요

하늘은 당신에게 특별한 능력을 주었다는 것을 기억
하세요. '오늘 하루는 더 잘 될 거야' '내게는 무한한
가능성이 있어'라고 다짐해보세요. 모든 것이 당신을
위해 준비되어 있습니다. 주저하지 말고 도전하세요.
곧 사람들 앞에서 이야기하거나 재능을 발휘할 일이
있을 것입니다. 이곳이 나의 무대라는 마음으로 즐기
세요.

THE HIGH PRIESTESS

고위 여사제

"속마음을 숨기고 비밀을 감추고 있는 사람"

))) ○ ((

차가운 듯, 도도한 표정의 여인이 앉아 있어요. 창백한 얼굴은 햇빛을 보지 않고 사람들과 교류하지 않는 상태를 보여주는 것 같죠. 찔러도 피 한 방울 나오지 않는 사람인 것 같아요. 이 여인은 '신의 비밀'을 쥐고 있는 고위 여사제입니다. 손에 쥐고 있는 문서는 '하늘의 율법'을 말해요. 신이 전해준 비밀의 문서를 쥐고 있는 것이죠. 푸른빛 가운을 두르고 있으니 '생각이 깊고 총명하다'라는 의미도 있습니다. '나는 비밀이 많은데, 당신도 알고 싶겠죠. 하지만 절대 말하지 않을 거예요'라고 말하는 것처럼 보여요. 여사제는 '신의 메시지'를 쥐고 있기 때문에 '인간의 욕망'은 철저히 감춰야 합니다. 여사제는 끝까지 여성성을 포기하지 않고 여성성의 상징인 석류와 초승달을 가지고 있죠. 여성적 매력을 가득 품고 있지만, 쉽게 드러내지 않습니다. 한 번 그녀의 귀에 들어간 이야기는 절대 밖으로 나오지 않을 것 같아요.

✦ ✦ ✦ 타로카드 속 상징과 의미 ✦ ✦ ✦

손에 든 문서
비밀스러운, 지적인

십자가가 그려진 순백의 드레스
지혜롭고 현명한, 세속적이지 않은

석류가 그려진 휘장과 초승달
풍부한 여성성을 의미

도도한 표정
비밀스럽고 굳건한 신념이 있는, 신뢰할 수 있는

푸른빛 가운
논리, 이성, 지혜를 뜻함

⚷ 긍정적 키워드

비밀, 통찰력,
자기 이해,
지혜, 세속적이지 않은,
영적인 능력,
여성적인 힘, 이해심

⚷ 부정적 키워드

움직임이나
행동력의 부족,
소통의 부족,
욕구 불만, 스트레스

어떻게 리딩할까?

연애

타로
묘묘's
TIP

'입을 뗄 수 없고 움직이지 않는다'라는 특징을
연애운에 적용해보세요.

솔로

짝사랑이 깊어집니다

속마음을 드러내기 힘든 상황이네요. '짝사랑, 고백할 수 없
는 사랑'이 예상됩니다. 이미 마음속으로 정해둔 상대가 있
다면, 그 사람에게 솔직하게 호감을 표현하기 어려울 것 같
아요. 지나치게 생각이 많아지고, 고백하기 어려운 시기입니
다. 누군가에 대한 호감을 품게 된다고 해도 관계가 진전되기
는 어렵겠네요.

커플

속마음을 털어놓기 어려운 시기

적극적으로 움직이지 않는 상황이기 때문에 서로 속마음을
털어놓고 말하지 않는 시기가 될 것 같네요. 심리적 거리감이
깊어질 수 있어요. 여사제가 가지고 있는 '논리, 이성, 손에
든 문서'를 연결하면 서로의 연애 감정에 집중하기보다는 각
자 학업이나 업무에 집중하게 되는 흐름을 예상할 수 있어요.

재회

재회 가능성이 낮습니다

여사제는 움직임이 없고 비밀이 있기 때문에 재회운, 연락운
의 관점에서는 부정적입니다. 속마음은 상대방을 깊게 생각
하더라도 적극적인 연락이나 표현은 하지 않는 상황입니다.
연락이 온다고 하더라도 진심은 비밀에 두고 겉핥기식의 이
야기만 흐를 수 있어요.

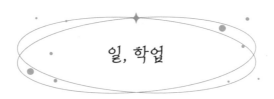

일, 학업

조용히 몰입하는 힘이 강해집니다

인맥을 확장하거나 활발히 행동하는 모습보다는 계획, 분석이 깊어지는 시기입니다. 문서를 들고 있는 여사제의 모습을 글이나 연구에 집중하는 장면과 연결지을 수 있어요. 외향적인 성향이 요구되는 영업, 발표, 마케팅과 같이 여러 사람과 어우러져야 하는 분야에서는 어려움이 있을 수 있습니다. 반면 조용히 혼자 몰입하는 시간이 필요한 연구, 시험, 자격증 분야에서 두각을 나타낼 수 있습니다.

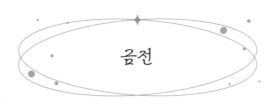

금전

돈보다 더 귀한 것을 추구합니다

여사제는 금전보다 다른 곳에 더 많은 가치를 두고 있는 인물이다 보니, 금전운만 놓고 본다면 좋다고 보기는 어렵습니다. 하지만 자신만의 논리, 이성, 지혜를 가지고 연구하다 보면 돈으로 살 수 없는 가치를 얻게 될 거예요.

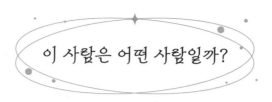

이 사람은 어떤 사람일까?

지적이고 매력적이며, 신중하고 속을 알 수 없는 성격

깊은 사고를 가진 지적이고 매력적인 인물입니다. 상대방의 비밀을 잘 지켜주고 신뢰할 수 있는 사람이에요. 고민을 털어놓거나 조언을 구하기에 좋은 인물입니다. 지혜롭고 현명하며, 따르는 사람이 많습니다. 권력과 위세를 떨치지 않는 소탈한 면도 있어요. 순진하고 섬세한 감성을 가진 사람을 의미하기도 합니다. 속마음을 잘 드러내지 않는 신중한 성격입니다.

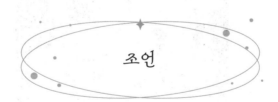

조언

나 자신에 대해 깊이 들여다보세요

남들에게 말 못할 고민이 있나요? 나의 욕구를 깊이 들여다보세요. '나는 무엇을 원하고 있나'라는 질문에 가장 정확하게 답할 수 있는 사람은 나 자신입니다. 고민의 근원이 무엇인지, 어떻게 해결할 수 있는지, 내면의 성찰을 통해 진실에 다가가세요. 누군가에게 의지하고 기대기보다는 정답은 스스로에게 있다는 점을 기억하고 나아가는 것이 좋습니다.

THE EMPRESS

THE EMPRESS

여황제

"온화하고 인자한 어머니의 마음"

))○(⟨

풍요로 가득한 숲에 여황제가 앉아 있습니다. 넉넉한 배려심과 모성애를 가진 여황제는 여유롭고 온화한 표정입니다. 삶의 기쁨과 결실을 누리고 있는 듯 보여요. 석류가 그려진 드레스는 여황제가 지닌 여성성을 뜻합니다. 고위 여사제가 석류를 등 뒤에 숨기고 있던 것과 다르게, 여황제는 석류가 그려진 드레스를 통해 여성성을 그대로 드러냅니다. 여황제 카드는 풍요로움을 보여주는 카드입니다. 12개의 별이 새겨진 왕관은 12개월을 상징하며, 풍요로운 사계절을 뜻합니다. 여황제의 옆에 놓인 하트 모양의 방패는 여황제의 권력이 사랑을 기반으로 한 것임을 보여줍니다. 울창한 숲과 흐르는 강물 역시 풍요로운 대자연의 모습을 나타냅니다. 여황제가 가진 여성성은 온 세상의 생물에게 번영을 약속하고, 생명력을 주겠다는 의지를 표현해요. 끝없는 어머니의 사랑을 닮은, 자애로움이 가득한 카드입니다.

타로카드 속 상징과 의미

**여유롭고 온화한
여성의 표정**
넉넉한 배려심과
모성애

**석류가 그려진
드레스**
풍요와 여성성을 상징

**12개의 별이
새겨진 왕관**
12개월을 뜻하며,
사계절의 풍요를
상징

하트 모양의 방패
사랑을 기반으로 한
권력을 상징

**울창한 숲과
흐르는 강물**
풍요가 넘치는
대자연을 상징

◈━ **긍정적 키워드**

풍요,
끝없는 사랑,
모성애

◈━ **부정적 키워드**

과도한 배려심,
지나친 이타주의

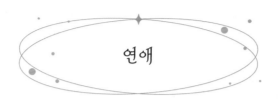

연애

타로
묘묘's
TIP

'풍요, 모성애'라는 키워드를 연애에 연결해서 해석해보세요.

솔로

마음을 나눌 수 있는 상대가 나타납니다

따뜻한 마음을 나눌 수 있고, 배려심이 넘치는 편안한 상대를
만날 수 있습니다. '모성애'가 다가온다는 의미를 연결해보
면, 자녀를 계획하는 일이 생길 정도로 진지한 관계가 곧 다
가온다고 볼 수 있어요. 물질적인 풍요가 넘치는 사람과 만날
수도 있습니다. 평소에 호감을 품고 있던 사람과 긍정적인 기
류가 흐를 수 있어요.

커플

관계가 한 단계 더 발전합니다

기존의 관계보다 한 단계 더 발전할 것입니다. 커플인 분들은
결혼을 계획하게 될 수 있고, 부부인 경우 자녀 계획을 세우
게 될 수 있습니다.

재회

좋았던 기억이 강해지는 시기입니다

'넉넉한 마음'이 커지면서 이전에 안 좋았던 기억보다는 좋
았던 기억이 강해집니다. 그러면서 상대방에 대해 긍정적으
로 생각하게 되고, 각박했던 감정이 시간이 지남에 따라 마음
이 너그러워지게 됩니다. 멀어졌던 관계에서 오해가 풀릴 수
있습니다.

일, 학업

노력의 결실을 맺게 됩니다

가을에 곡식을 수확하는 것처럼 노력의 결실을 맺게
됩니다. 오랫동안 준비해온 취업, 시험이 있다면 좋은
결과를 기대해볼 수 있습니다. 여황제의 '풍요' 키워드
에 맞춰서 현재 학업이나 업무에서도 여유가 생기는
단계에 들어섭니다.

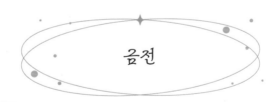

금전

금전운이 차고 넘칩니다

금전운에서 여황제 카드는 대표적으로 '길운'을 말합
니다. 사계절의 풍요를 온 세상에 증명하기 때문에 기
존에 투자한 곳에서 결실이 드러납니다. 강물이 흐른
다는 것은 '금전이 흐른다'라고 볼 수 있기 때문에 금
전 운영이 원활해지고, 막혔던 계약 상황은 급물살을
타며 해결됩니다.

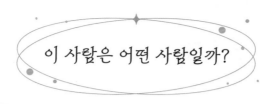

이 사람은 어떤 사람일까?

타로
묘묘's
TIP

여황제 카드에는
모성애가 넘치는
사람이라는 의미가
있어요.

배려와 공감이 넘치는 사람

자애롭고 포근한 성품을 가지고 있습니다. 가진 것이 많으면서도 인색하지 않은 사람입니다. 모두의 시선을 끌어당기는 매력과 아름다움을 가지고 있으며 여성성이 강합니다. 대화할 때 논리적, 이성적이라기보다는 상대방을 이해하고 공감하려는 성향을 가진 사람입니다.

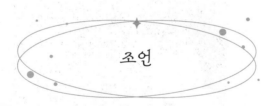

조언

타로
묘묘's
TIP

'풍요, 배려'를
하루 일과에
적용해보세요.

베풀면 풍요로워집니다

주변 사람들에게 마음의 문을 닫아두고 인색하게 대하고 있지 않았나요? 넉넉한 인심, 아낌없이 주는 배려심을 발휘할 때입니다. 평온한 태도와 배려심은 더 많은 사람들을 끌어당기고, 주변에 사람들을 모이게 만듭니다. 가까운 사람들을 센스 있게 챙기고 배려해보세요. 마음이 풍요로워지는 것을 느끼게 될 거예요.

THE EMPEROR

황제

"근엄하고 강한 카리스마, 남성성이 넘치는 모습"

☽ ☽ ○ ☾ ☾

황제는 남성성이 가득한 모습으로, 카리스마의 끝판왕입니다. 확고한 자신감과 신념을 온몸으로 표현하고 있어요. 황제가 앉은 의자를 보면 돌로 만들어져 있고 굳건해 보이죠. 이는 황제의 권력이 얼마나 강한지를 보여줍니다. 그리고 권력이 강하다는 것은 그만큼 거느릴 사람이 많다는 것을 의미해요. 거느릴 사람이 많다는 것은 생각할 것도 많고 고려해야 할 사항도 많다는 것을 의미합니다. 그래서 남들보다 머릿속이 복잡할 수 있고, 책임감도 많이 느낀다고 볼 수 있겠죠. 하지만 황제는 야심이 넘치며 통솔력을 갖추고 있습니다. 황제 자리에 오르기까지 숱한 일들이 있었을 것이고, 또 그 자리를 지켜내느라 고생이 많았을 거예요. 하지만 이런 점들은 황제라면 겪어야 할 피할 수 없는 숙명이기도 해요. 남다른 책임감으로 국가를 이끌고 있지만, 거친 산에 둘러싸인 채 혼자 앉아 있는 모습을 보니 고독함도 느껴지는군요.

• • • • 타로카드 속 상징과 의미 • • • •

**근엄한 표정과
당당한 자세**
카리스마와
원숙함을 의미

돌로 만든 의자
굳건한 권력을 상징

**의자에 새겨진
양의 머리**
승부욕, 투쟁,
물러서지 않는
의지를 의미

**주변을 둘러싼
거친 산**
지배자의 위엄,
외로움을 상징

**왕관, 십자가,
붉은 옷, 갑옷**
황제의 리더십과
권위를 보여줌

⟁ **긍정적 키워드**

권력, 권위,
카리스마, 지배,
강함, 열정,
승부욕

⟁ **부정적 키워드**

워커홀릭,
외로움, 고단함,
스트레스

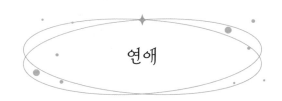

• ✦ • ✦ • 어떻게 리딩할까? • ✦ • ✦ •

연애

타로
묘묘's
TIP

'주도권' '자존심'이라는 키워드를 연애운에 연결해보세요.

솔로

연애보다는 내 삶에 집중하게 됩니다

'삶의 주도권을 내가 쥐고 가겠다'는 생각과 자아가 강해지는 시기로, 타인에게 의지하지 않고 독립적으로 활동하며 나 자신에게 집중하게 되는 시기입니다. 갑옷으로 몸을 감싼 채 거칠고 험난해 보이는 산에 둘러싸여 있는 황제의 모습처럼 연애에 대한 관심보다는 나 자신을 보호하고 혼자만의 생활을 즐기는 경향이 강해져요. 그러다 보니 다른 사람들이 접근하기 어려워질 수 있습니다.

커플

한 사람의 주도권이 강해집니다

둘 중 한 사람이 주도권을 독점하려고 하거나, 상하관계를 뚜렷하게 만들고 싶어 할 수 있습니다. 관계의 속도, 미래 방향, 경제권 등을 주도적으로 계획하고, 실행에 옮기려고 할 것입니다. 추진력이 있기 때문에 관계가 한 단계 발전하면서 긍정적으로 활용할 수 있지만, 때로 고집을 피울 수 있고 권위적이거나 그로 인한 마찰이 생길 수 있습니다.

재회

상대방은 움직일 생각이 없습니다

갑옷을 입고 돌로 만든 의자에 앉은 모습을 보면 상대방은 움직일 생각이 없어 보입니다. 외로움을 느낄지언정 먼저 연락하기에는 자존심이 상한다고 생각할 수 있어요. 황제 카드의 주인공의 모습을 보면 재회의 가능성은 낮다고 보입니다.

47

일, 학업

타로
묘묘's
TIP

황제의 모습을
일상에서는 '리더'가
되는 모습으로
연결할 수 있습니다.

리더가 될 수 있는 흐름입니다

돌로 만든 의자에 굳건히 앉아 있는 황제의 모습처럼
본인의 포지션이 단단한 상황이 되고 자신이 속한 집
단에서 리더가 될 수 있는 흐름입니다. 주변으로부터
실력을 인정받는 모습을 예상할 수 있고. 야심이 점점
커지게 됩니다.

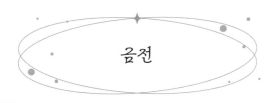

금전

타로
묘묘's
TIP

목표를 달성한
황제의 모습과 금전운을
연결해보세요.

안정적인 금전의 흐름이 예상됩니다

황제는 재물을 쥘 수 있는 권력을 갖고 있습니다. 그만
큼 이 카드가 나오면 다루는 재물이 많아진다는 것을
나타냅니다. 금전운에 있어서 황제 카드는 굉장히 좋
은 카드입니다. 금전적으로 원하는 목표를 달성하게
되고 안정적인 금전 흐름이 예상됩니다.

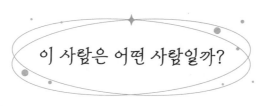

이 사람은 어떤 사람일까?

타로
묘묘's
TIP

'황제'라는 캐릭터가
어떤 성향을 가지고
있을지 상상해보세요.

타고난 리더의 모습

주도적이며 독립심이 강한 리더의 모습입니다. 딱딱
하고 고지식해 보이기도 하고 외로워 보이지만 자신
의 사람들에게는 기꺼이 희생하고 강한 책임감을 보
이는 인물입니다. 권력과 권위에 대한 승부욕도 있어
요. 마음먹은 일은 꼭 해내고야 마는 열정이 있죠. 리
더의 자질을 가지고 태어난 사람입니다. 사람들을 컨
트롤할 수 있는 능력을 가지고 있어 경영자가 될 가능
성이 큰 사람입니다.

조언

타로
묘묘's
TIP

황제가 자신의 자리에
오르기까지 어떤 과정을
거쳤을지
생각해보세요.

목표를 위해서는 책임과 노력이 필요합니다

황제는 자신의 지위를 나타내는 의자에 앉아 있지만
편해 보이지는 않아요. 무거운 갑옷을 두르고 허리는
꼿꼿이 세운 채 강인한 모습을 보이고 있죠. 이 거친 산
에 오르기까지 얼마나 많은 전쟁을 치러야 했을 것이
며, 또 얼마나 외로웠을까요? 이처럼 원하는 것을 이루
기까지는 반드시 희생과 노력이 필요합니다. 그 시간
을 잘 견딘다면 당신은 분명 원하는 목표에 다다를 수
있어요. 마음먹은 일이 있다면 끝까지 도전하세요.

THE HIEROPHANT

THE HIEROPHANT

교황

"존경과 신뢰의 상징"

))○((

단 위에 교황이 앉아 있습니다. 두 사람은 단 아래에서 교황을 올려다 보며 자신들의 이야기를 하고 있습니다. 교황은 속세에 물들지 않은 인물입니다. 그럼에도 가장 높은 곳에 앉아 있고, 사람들이 신뢰하고 따르는 모습이에요. 그런데 교황의 시선은 사람들을 바라보지 않고 있네요. 세상의 이야기에 흔들리지 않고 자신의 신념을 지키고 있는 모습입니다. 사람들은 갈등이 있을 때 교황을 찾아가 중재를 요청하고 가르침을 받고 지혜를 얻습니다. 교황이 십자가를 들고 두 손을 위로 올리고 있는 모습은 지혜를 전파하고 갈등을 중재하는 것을 의미합니다. 교황이 가르쳐주는 진리를 따르다 보면 평화가 찾아올 것 같지 않나요?

• ✦ • ✦ • ✦ 타로카드 속 상징과 의미 • ✦ • ✦ •

**단 위에 올려져
있는 의자**
영향력,
세상 사람들의 인정

**교황을 바라보는
두 사람**
교황의 메시지를
진심으로 받아들이는
신도

**신도의 눈을
마주치지 않는 교황**
편향되지 않고
모두를 품고자 하는
마음을 뜻함

**십자가를 쥐고
두 손을 들고 있는 모습**
지혜를 전파하고
갈등을 중재함을 의미

⚷ **긍정적 키워드**

갈등의 중재와 평화,
명예, 존경

⚷ **부정적 키워드**

현실 감각이 떨어짐,
신념을 지키기 위한
현실적인 어려움

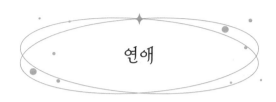

• ✦ • ✦ • 어떻게 리딩할까? • ✦ • ✦ •

연애

타로 묘묘's TIP

교황 앞에 선 두 사람의 모습을 연애운에 대입해보세요.

솔로

교황의 주선으로 새로운 사람을 만나게 됩니다

두 명의 신도 사이에 있는 교황을 '중재자'라고 볼 수 있기 때문에 누군가의 소개로 새로운 사람을 만날 가능성이 높다는 것을 나타냅니다. 상대방을 볼 때 조건이나 외모에 집착하지 않는 것이 좋습니다. '마음이 맞는 사람'인지를 더 유심히 살펴보세요. 교황의 주선이다 보니 믿을 수 있는 사람, 정신적으로 의지할 수 있는 사람의 등장이 기대됩니다. 육체적 끌림보다는 '영혼이 맺어주는 관계'가 등장할 것입니다. '말이 통하는 사람'과 연결될 수 있어요.

커플

더욱 진지한 관계로 발전됩니다

교황 앞에 마주 선 두 사람의 모습은 이해관계나 자신만을 생각하는 면모를 버리고 교황 앞에서 서로의 미래를 약속하는 모습입니다. 주변 사람들에게 상대를 소개해줄 정도로 관계가 진전되거나 결혼을 계획할 수 있습니다.

재회

갈등을 중재해주는 사람이 등장합니다

두 사람 사이에 갈등이나 오해가 있었다면 이것을 중재해주는 교황의 역할을 하는 사람이 등장합니다. 교황 앞에 서 있는 신도의 모습처럼 자존심을 내려놓고 자신의 잘못을 인정하고 오해가 풀리는 모습입니다. 재회를 바란다면 교황의 역할을 할 수 있는 사람을 찾아보세요.

일, 학업

성실하게 노력해온 것을 인정받게 됩니다

교황은 주변으로부터 믿을 수 있는, 평판이 좋은, 성실하고 정직한 사람의 모습입니다. 교황이 단 위에 앉아 있는 모습은 눈에 띄는 위치이자 높은 자리에 오르는 결과를 나타냅니다. 그동안의 성실과 정직한 노력 덕분에 사람들에게 존중과 존경의 마음을 받게 되어 리더로서의 위치에 오를 것 같네요.

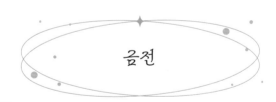

금전

금전보다 더 높은 가치를 추구합니다

교황은 세속적인 인물이 아니기 때문에 금전운에서 좋은 카드는 아닙니다. 하지만 존경받는 최고의 위치에 올라 있는 만큼, 금전 외에 사회적 평판이나 명예와 같은 가치를 얻게 됩니다. 교황에게 있어 금전은 가장 중요한 가치는 아닙니다.

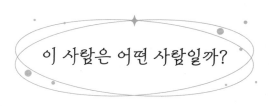

이 사람은 어떤 사람일까?

안정과 평화를 추구하는 사람

'평화주의자'로 사람들 사이에 갈등을 봉합하고 중재하는 편입니다. '누구의 편도 들지 않아'라고 말하기 때문에 사람과 사람 사이를 연결하게 되고, 갈등 당사자의 만남을 주선하여 화해하게 만듭니다. 겉으로는 평온한 표정을 짓고 있지만 자신의 가치관을 포기하거나 세상과 타협하지 않습니다. 강한 자기 신념, 사회 규범 및 도덕에 대한 충성도가 높은 사람입니다. 개혁이나 변화보다는 안정과 평화를 추구하는 편입니다.

조언

눈앞에 보이는 이익을 뛰어넘는 가치를 찾아보세요

물질적인 목표에 매몰되어 주변과 나 자신을 돌아보지 않은 채 지내고 있지는 않나요? 금전적 가치만을 추구하면 마음의 평화보다는 괴로움이 따르게 되고 중요한 가치를 놓치게 될 수 있습니다. 교황은 세속적인 목표 없이도 사람이 따르고 존경을 받으며 가장 높은 자리에 올라와 있습니다. 카드는 눈앞에 보이는 이익보다는 그 이상의 가치를 찾고, 그것을 추구하라고 이야기하고 있습니다.

THE LOVERS

연인

"불꽃 같은 만남, 사랑의 시작"

))○((

카드의 이름마저 '연인'. 사랑을 말하는 카드입니다. 두 남녀 사이에 뜨거운 전류가 흐릅니다. 하늘의 천사가 두 남녀를 축복해주는 것 같아요. 따뜻한 햇빛, 불 나무와 과일 나무…. 모두 사랑을 말하는 것 같아요. 천사의 축복 아래 두 남녀가 육체적으로 깊이 얽히게 될 것입니다. 서로 다른 두 나무에 각자 매력이 끌리게 되고, 호감을 가지게 될 것입니다. 매력, 호감과 관련된 카드로 연애운에 특히 좋은 뜻으로 읽을 수 있어요. 하지만 카드 속 두 사람은 완벽히 하나가 되지 않았습니다. 이 뜨거움이 과연 얼마나 오래 지속될 것인지는 의문이 남는 카드예요. 지속성에 대한 문제를 고민해야 합니다.

타로카드 속 상징과 의미

구름 위의 천사
하늘의 축복

벌거벗은 두 남녀
육체적인 끌림,
마음을 솔직하게
표현한다는 의미

뱀
선악과를 먹게
만드는 유혹을 뜻함

불 나무
본능, 열정적 에너지,
남성성

과일 나무(선악과)
유혹, 욕망, 여성성

❧ 긍정적 키워드

사랑, 열정,
육체적인 끌림,
매력, 호감, 낭만

KEYWORD

❧ 부정적 키워드

육체적 끌림의 한계,
끈기가 부족할 수 있음

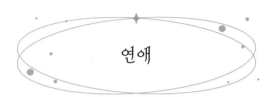

어떻게 리딩할까?

연애

타로
묘묘's
TIP

불타오르는 불과 같은 사랑을 떠올려보세요.
다른 것을 보지 않은 채 '사랑'에 집중하는 모습입니다.

솔로

불꽃 튀는 로맨스의 시작

육체적으로 매력적이고 끌리는 인물을 만나게 됩니다. 로맨
틱한 사건, 가슴이 설레는 일이 생길 거예요. 본능적으로 사
랑에 빠지게 되고 불꽃 튀는 로맨스가 시작될 수 있습니다.

커플

현재에 충실한 뜨거운 사랑

두 사람이 더 끈끈한 관계가 됩니다. 육체적인 매력을 느끼고
깊은 사랑을 나누게 됩니다. 권태기였던 관계라면 열정을 되
찾게 됩니다. 결혼, 임신 등의 미래에 대한 계획보다 현재의
사랑에 충실한 모습입니다.

재회

첫 만남의 순수함을 떠올리게 됩니다

재회에 긍정적인 운이네요. 두 사람이 처음 만났을 당시의 순
수한 상태를 떠올리게 됩니다. 과거 나눴던 행복한 기억이 떠
오르게 되고 그 추억에 사로잡히게 되는 시기로, 상대로부터
연락이 오거나 재회하게 될 수 있습니다. 카드에서 천사가 두
사람을 축복하고 있으니, 앞으로의 관계도 긍정적입니다.

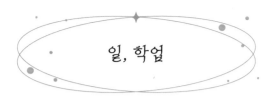

일, 학업

타로
묘묘's
TIP

'열정, 욕망'이라는
키워드가 커리어에
작용하게 됩니다.

열정을 다할 수 있는 일을 만나게 됩니다

몰입하고 빠져들게 되는 일 혹은 분야를 만나게 됩니다. 열정이 샘솟고 자연스럽게 동기부여가 되는 일을 하게 됩니다. 나의 매력이 극대화되는 시기이기 때문에 면접, 승진에서 긍정적입니다. '연인을 만난다'라는 뜻이 있기 때문에 합이 잘 맞는 사업 동반자, 파트너를 만날 수 있습니다.

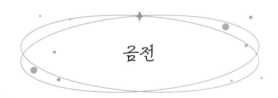

금전

타로
묘묘's
TIP

남녀가 만난다는
의미를 '금전운과의
만남'으로
해석해보세요.

금전운에 합이 들어옵니다

'남녀의 만남'은 '좋은 합이 들어온다'라고 읽을 수 있어요. 그동안 금전적으로 결핍이 있었던 부분이 채워질 것입니다. 합이 잘 맞는 파트너를 만나 금전운이 트이게 되거나 계약이 체결되면서 금전의 새로운 기회를 만날 수 있죠. 막혔던 금전운이 해소되고, 부족했던 상황이 해결되며 금전 흐름이 원활해집니다.

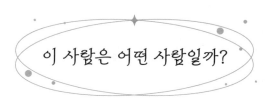

이 사람은 어떤 사람일까?

타로
묘묘's
TIP

'불꽃이 튀는
사랑'이라는 의미를
사람의 성격에
대입해보세요.

유혹과 매력이 넘치는 사람

육체적으로 매력적인 인물입니다. 이성을 사로잡는
능력도 충분합니다. 타고난 사랑꾼에 사람의 마음을
휘어잡을 수 있는 말솜씨도 있어요. 예술 표현 능력이
뛰어나기 때문에 아티스트, 연예인, 모델, 디자이너로
적성을 풀어갈 수 있습니다. 사람을 유혹하는 능력을
마케팅, 영업 등으로 활용할 수도 있어요. 인기가 많고
가는 곳마다 사람들이 따르게 됩니다. 열정과 애정이
끓어오르는 사람이지만 끈기가 부족할 수 있어요.

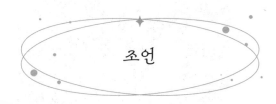

조언

타로
묘묘's
TIP

'뜨거운 사랑'을
인생에 연결해보세요.

가슴 뛰는 열정을 떠올려보세요

진짜 하고 싶은 일이 있지만, 미래에 대한 염려 때문
에 열정은 뒤로한 채 안전한 방향만을 선택하고 있지
는 않나요? 카드의 주인공은 옷이 벗겨진 줄도 모른
채, 자신의 모든 것을 드러내면서 사랑에 푹 빠져 있
어요. 연인 카드는 당신에게 그 정도로 열정을 다한
일, 순수하게 빠져든 일이 있었는지 묻고 있어요. 시
간이 가는 줄도 모르고 몰입했던 일, 만사를 제쳐두고
빠졌던 사랑…. 그 가슴 뛰는 열정을 떠올려보세요.

THE CHARIOT

THE CHARIOT

전차

"강한 추진력, 새로운 도전을 향해 성을 떠난다"

카드 속 인물은 자신이 살던 성을 떠나 새로운 도전을 시작하고 있습니다. 기세가 당당하며 도전을 두려워하지 않는 모습입니다. 이런 모습은 도전에 대한 강한 의지, 자신감을 상징합니다. 꼿꼿이 서서 앞만 바라보고 있는 모습을 보면, 다시 성으로 돌아갈 생각은 없어 보입니다. 단단한 전차의 모습, 용맹한 스핑크스의 모습을 보면 앞으로 나아가려는 추진력도 강해 보입니다. 전차 카드는 추진력을 가지고 이제 막 성을 떠나는 시점이기 때문에 시작을 의미합니다. 아직 완성을 말하기엔 이른 상태죠. 목표를 가지고 떠나는 시점이다 보니, 목표만을 향하고, 목표 외에 주변을 잘 돌아보지 않는 상태를 말하기도 합니다. 아직은 미래의 불확실성이 있고, 서로 양쪽을 바라보는 스핑크스를 잘 제어해야 하는 균형이 필요하다고 볼 수 있습니다.

✦ ✦ ✦ ✦ 타로카드 속 상징과 의미 ✦ ✦ ✦ ✦

정면을 응시하는 주인공
자신감, 당당함

전차
이동, 추진력을 의미

뒤편의 성
안식처를 의미

흑과 백의 말
서로 다른 성향

⚷ 긍정적 키워드

강한 추진력,
이동

KEYWORD

⚷ 부정적 키워드

불확실성,
목표 외에는
주변을 돌아보지 않는

✦ ✦ ✦ 어떻게 리딩할까? ✦ ✦ ✦

연애

**타로
묘묘's
TIP**

전차 카드의 키워드인 '이동'을 새로운 단계,
새로운 관계로의 전환이라는 상황으로 읽어보세요.

솔로

솔로 상태에서 벗어납니다

새로운 단계로의 이동을 의미하기 때문에 '솔로 상태에서 벗
어난다'라고 볼 수 있습니다. 또한 추진력이 높은 시기이다
보니 연애운이 급물살을 타는 시기죠. 적극적으로 행동에 나
설 만큼 호감이 가는 사람이 생기거나, 나에게 호감을 갖는
사람이 과감히 다가올 수 있습니다. 이미 썸을 타는 상대가
있다면 빠르게 관계가 진행될 것입니다.

커플

새로운 단계로의 전환이 기대됩니다

새로운 단계로의 전환을 기대할 수 있습니다. 대표적으로 결
혼이 될 수 있으며 전차는 이동과 관련이 있으니 두 사람 사
이에 이동과 관련된 이벤트를 맞이할 수 있습니다. 반대로,
성을 떠나 새로운 곳으로 향하는 모습은 '환승연애'로 볼 수
있습니다. 내담자의 상황에 맞춰 상담사의 직감에 따라 해석
해야 합니다.

재회

미련을 버리고 새로운 인연을 찾아 떠나세요

상대방은 이미 과거 두 사람의 관계에 미련을 버리고 떠난 상
태입니다. 재회의 관점에서 전차 카드를 해석한다면 부정적
입니다. 상대방에 대한 미련을 버리고 새로운 인연을 찾아 떠
나라는 조언의 메시지로 읽어볼 수도 있습니다.

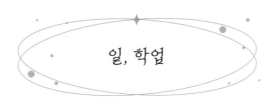

일, 학업

새로운 단계로의 도전, 혹은 이동

합격을 통한 신분의 변경, 직장에서의 승진이 예상됩니다. 이직이나 새로운 사업 도전으로도 볼 수 있죠. 새로운 계약이 체결될 수도 있습니다. 전차 카드는 도전과 이동을 의미하고 시작 단계에서 기세가 높기 때문에 일, 학업운으로 긍정적인 카드입니다.

금전

시작은 좋으나, 장기적으로는 균형 감각이 필요합니다

시작 시점에서 좋은 흐름입니다. 투자한 곳에서 성과가 보일 수 있고 급여가 상승할 수 있습니다. 하지만 완성을 의미하는 것은 아니다 보니, 미래에도 계속 금전운이 좋을지에 대해서는 미지수입니다. 전차 카드 속 그림을 살펴보면, 주인공은 두 스핑크스를 중간에서 잘 다루고 있는 모습입니다. 한 곳에 치중하지 않고 골고루 분산해서 투자를 하거나 계획을 세우는 것이 중요하다는 메시지를 읽을 수 있습니다.

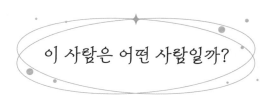

이 사람은 어떤 사람일까?

강한 추진력과 행동력을 가진 사람입니다

저돌적이고 진취적인 성향이 강합니다. 한 번 머릿속에 저장한 것은 현실로 만들어내는 편이죠. '한 번 한다면 한다'라는 추진력이 강합니다. 누구의 덕을 보고 사는 분이라기보다 자신의 성과를 세상에 증명하는 삶을 살아갑니다. 학위나 자격증에 도전하는 일도 많죠. 실용적인 면이 강하기 때문에 허송세월을 하기보다 효율적으로 삶을 계획하고 구성하고, 활력적으로 사는 것에 의미를 두는 분입니다.

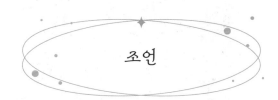

조언

이제는 도전해야 할 때입니다

현 상태에 안주하고 있지는 않았나요? 지금까지는 성안에서 각종 무술을 연마하며 잠재력을 갈고닦는 시기를 보냈다면 이제는 증명할 시간이 왔습니다. 성안에서 편안히 안주하는 삶을 살았다면, 이제는 강한 추진력과 자신에 대한 신뢰를 가지고 새로운 도전을 해야 할 때입니다. 젊은 패기, 용기, 포기를 모르는 근성을 발휘하세요. 전차 카드는 과감한 추진력으로 도전을 시작하라고 이야기하고 있습니다.

STRENGTH

힘

"원초적 욕망과 욕망을 제어하는 내공"

$$))\ ○\ (($$

흰 드레스를 입은 여신이 사자와 함께 있습니다. 사자가 힘이 강하기 때문에 여신을 잡아먹을지도 몰라요. 하지만 여신이 맨손으로 사자를 다루는 모습이 자연스러워 보이죠. 사자를 달래는 것처럼 보이기도 합니다. 사자가 여신을 공격하는 것처럼 보이지 않죠.

남성적이고 강인하고 원초적인 욕망과 본능이 가득한 본능의 힘과 이런 맹렬한 사자의 기세를 안정적으로 제어하면서 절제시키는 지혜로운 힘을 가진 여신의 만남으로 '힘과 힘의 만남'입니다. 여신이 사자를 길들일 때까지 인내심과 불굴의 의지가 필요했겠지만 여신의 평온한 표정을 보면 오랜 시간이 걸려 결국 안정적으로 이 시간을 극복했다고 볼 수 있어요.

이 힘 카드는 두 가지 관점에서 해석할 수 있습니다. 첫 번째는 서로 다른 성향의 만남으로, 두 번째는 서로 다른 성향이 조화롭게 유지될 때까지 필요한 세월과 인내, 지혜가 필요하다는 관점으로 해석할 수 있어요.

• ✦ • ✦ • 타로카드 속 상징과 의미 • ✦ • ✦ •

사자
본능, 욕망,
야생적인 힘

맹수를 다루는 여신
욕망을 제어하는
내공과 인내를 보여줌

흰 드레스
여신의 순수한 애정

여신을
두르고 있는 꽃
인내 후 갖게 될
승리를 예측

⚷ 긍정적 키워드

강인함, 내공, 끈기,
힘, 불굴의 의지,
고난을 극복하는 힘

⚷ 부정적 키워드

극단의 성향이 만나
생기는 마찰, 성장을 위한
고난과 인내의 시간이
필요함

••••• 어떻게 리딩할까? •••••

연애

타로 묘묘's TIP

서로 다른 성향의 만남, 조화를 이루려면 인내와 지혜가 필요하다는 부분을 연애운과 연결해보세요.

솔로

전혀 다른 성향을 가진 사람과의 만남이 예상됩니다

자주 부딪치고, 나와 전혀 어울리지 않으며, 연인이 될 것이라는 상상조차 할 수 없던 인물에게 호기심이 생길 수 있습니다. 나와 다른 성향이 신선하게 느껴지고, 급속도로 호감을 가지게 되는 사건이 생기겠네요.

커플

관계 유지를 위해서는 부드러운 리더십이 필요합니다

너무 다른 성향을 가진 두 사람은 '이 부분은 절대로 타협이 되지 않는다'라고 느끼는 부분이 있네요. 두 사람이 조화롭게 관계를 유지하기 위해서는 시간, 그리고 인내와 지혜가 필요합니다. 두 사람 중 한 명은 힘 카드 속 여신의 역할을 해야 합니다. 상대를 감싸주면서 리더십으로 관계를 잘 끌어갈 수 있는 내공과 지혜가 필요합니다.

재회

다시 만나도 똑같은 실패를 반복할 수 있습니다

두 사람은 서로 다른 성향을 극복하지 못하고 헤어진 것 같군요. 서로의 다름을 극복하기 위해서는 지혜와 인내가 필요했을 것입니다. 한 번 헤어졌다는 것은 결국 그것에 실패했다는 뜻이겠죠. 재회는 어려운 상황으로 보입니다. 다시 만나게 되더라도 똑같은 어려움을 겪게 될 것 같네요.

일, 학업

타로
묘묘's
TIP

'위기와 시련을 통해
내공이 쌓인다'는
관점으로
읽어보세요.

장기전의 끝은 승리입니다

오래 준비해온 일이 있다면 결실을 보게 될 것입니다.
궁극적인 목표를 달성하게 되거나, 장기 프로젝트에
서 성과가 있을 거예요. 하지만 그 과정은 결코 쉽지
않으며 위기와 시련이 있을 것입니다. 그 시기를 견뎌
왔다면, 매우 긍정적인 결과가 있을 거예요. 만약 이제
막 시작한 분야에서 성과를 바라고 있다면 꽤 긴 시간
이 필요할 거예요.

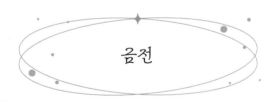

금전

타로
묘묘's
TIP

'내공' '끈기'
키워드와 금전운을
연결해보세요.

길게 바라보며 인내하고 성장하세요

당장은 금전운이 좋지 않다고 느낄 수 있어요. 지금은
인내와 성장을 위한 시간입니다. 길게 바라보며 금전
의 흐름을 분석하고 공부하는 시간을 갖고 제대로 계
획을 세운다면 힘 카드의 키워드처럼 '힘이 강한' 금
전운을 갖게 될 것입니다.

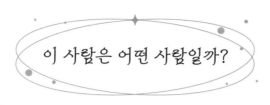

이 사람은 어떤 사람일까?

타로
묘묘's
TIP

'강인함' '끈기'
'불굴의 의지'라는
키워드를
연결해보세요.

위기와 시련을 통해 점점 성장하는 사람

잡초 근성을 가진 인물입니다. 인내심과 불굴의 의지로 고난을 통해 성장하는 사람이군요. 속내를 잘 드러내지 않으며 내면에 끓어오르는 욕망이 있으면서도 제어하는 능력이 뛰어납니다. 신중하고 현명한 사람으로, 위기의 순간에도 자신에게 주어진 일이라면 미루지 않고 책임을 다하는 사람입니다.

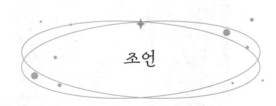

조언

타로
묘묘's
TIP

'불굴의 의지'를
조언에
적용해보세요.

중요한 것은 꺾이지 않는 마음

힘 카드는 가냘픈 여인도 맹수를 제어하게 되듯이, 어떠한 역경과 고난 속에서도 불굴의 의지가 있다면 극복할 수 있다는 것을 말해줍니다. 힘든 상황이 지속되더라도 끈기를 가지고 버텨보세요. 조금만 더 힘을 내면 끝이 있을 거라고 스스로를 잘 토닥여주세요. 나중에는 그 누구보다 강한 사람이 되어 있을 거예요.

THE HERMIT

THE HERMIT

은둔자

"고독한 성찰의 시간"

))〇((

남루해 보이는 옷을 입은 노인이 있습니다. 노인은 오로지 지팡이와 별이 담긴 등불만을 의지한 채 고독하게 서 있습니다. 어둠 속에서 어느 길이 내가 가야 할 길인지 생각하고, 고민하고 있는 모습으로 보여요. 노인은 눈을 감은 채 본인의 감각에만 의지해 나아가고 있습니다. 누구와도 타협하지 않고 자신이 가야 할 길을 스스로 정하려는 모습이죠. 눈을 감고 가만히 깊은 생각에 잠겨 있는 노인의 모습을 보니, 지나온 세월 동안 많은 경험을 통해 깨달음을 얻은 듯한 모습입니다.

• ✦ • ✦ • 타로카드 속 상징과 의미 • ✦ • ✦ •

혼자 있는 노인
고독함, 깨달음을 위한
성찰의 시간

남루해 보이는 옷
남에게 보여주려는 목적이
아닌 나에게만 집중하려는 상태

지팡이와 별이 담긴 등불
다른 것에 휘둘리지 않고
자신의 이상과 철학에 신념을
가진다는 의미

⚷ **긍정적 키워드**

성찰, 지혜,
깨달음

KEYWORD

⚷ **부정적 키워드**

외로움,
홀로 있는 시기,
움직임이 없는

◦ ✦ ◦ ✦ ◦ ◦ 어떻게 리딩할까? ◦ ✦ ◦ ✦ ◦

연애

타로 묘묘's TIP

외부와의 교류를 끊고 혼자 성찰하는 노인의 모습을
연애운에 적용해보세요.

솔로

혼자 있는 것을 선택하는 시기입니다

외부와의 교류보다 자기 자신의 내면을 들여다보는 시기이
기 때문에 연인을 만들기보다는 혼자인 상태가 편하거나 자
신을 탐구하는 시기라고 볼 수 있습니다. 호감이 가는 사람이
생겼더라도 적극적으로 표현하거나 두 사람이 만나는 접점
이 있기보다는 혼자 마음속에 담아두는 짝사랑이 진행될 수
있습니다.

커플

두 사람의 관계에 대해 성찰하는 시기입니다

두 사람의 관계에 대해 심도 있게 고민을 해보는 시기입니다.
이 성찰의 과정을 통해 두 사람의 관계가 더욱 깊어질 수도
있고, 극단적으로 관계가 깨질 수도 있어요. 하지만 관계를
더 발전시키기 위해서 거쳐야 하는 필연적인 단계이니, 오히
려 긍정적으로 활용하는 것이 필요합니다.

재회

재회의 의지가 보이지 않습니다

은둔자는 사람과의 교류가 없이 혼자 있는 모습입니다. 주인
공은 외로움을 스스로 선택한 것이기 때문에 재회를 하려는
의지는 없다고 보입니다. 상대방은 이 관계에 대해 성찰의 시
간을 갖고 있는 것일 수도 있습니다. 재회는 이 성찰의 시간
이 끝난 이후에 다시 생각해야 합니다.

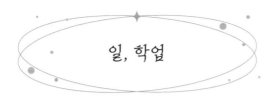

일, 학업

타로
묘묘's
TIP

'성찰'이라는
키워드를 커리어에
연결지어보세요.

진정 나아가야 할 방향에 대한 성찰의 때입니다

노인은 세상의 이치를 알고 있는 현명한 사람을 나타
냅니다. 지금 나는 그 상태로 가는 과정에 놓여 있습니
다. 내가 무엇을 좋아하고 어떤 일을 해야 하는지 찾고
집중하는 시기입니다. 이 성찰의 시기를 잘 보내면 내
가 진정으로 나아가야 할 방향에 대해 자신감을 갖게
됩니다. 현재 집중하고 있는 업무나 학업을 더욱 깊이
연구하며 발전해나가는 시기입니다. 장인정신을 갖춘
베테랑이 되는 과정이라고 볼 수 있어요.

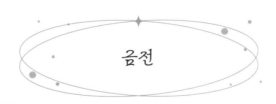

금전

타로
묘묘's
TIP

조용히 홀로 있는
은둔자의 모습을
금전운에
연결해보세요.

지금은 몸을 움츠려야 할 때입니다

은둔자 카드는 결실의 수확보다는 수확 이전에 성찰
이 필요한 단계를 의미하기 때문에 이 시간을 잘 마무
리하는 것이 먼저입니다. 지금은 금전과 관련된 활동
에 적극적으로 나서기보다 때를 기다려야 합니다. 더
욱 큰 금전운이 다가올 날을 위해 내공과 내실을 다지
는 것이 필요합니다.

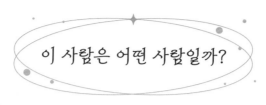

이 사람은 어떤 사람일까?

타로
묘묘's
TIP

깨달음을 얻기 위해
성찰하는 노인의 모습을
사람의 성격에
적용해보세요.

자신만의 이상과 철학을 갖춘 학자 스타일의 사람

내면의 깊이가 남다른 사람입니다. 속세에 관심이 적으며 돈보다 일의 의미와 정신적인 보람을 찾고 그에 집중하는 성향으로, 자신만의 이상과 철학을 갖춘 '학자' 스타일이 많습니다. 섣불리 연애를 시작하지 않으며 상대방과의 관계가 주는 '의미'를 추구하는 편으로, 즉흥적인 관계보다는 진득한 관계를 선호합니다. 사람들과의 교류를 피하거나 자신만의 생각을 고집하고 잘 타협하지 않는 면도 있습니다.

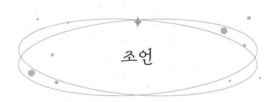

조언

타로
묘묘's
TIP

지혜를 찾아 성찰하는
은둔자의 모습을 조언에
적용해보세요.

내 인생에 대한 성찰의 시간이 필요합니다

'많은 돈을 벌고 싶다' '유명해지고 싶다'라는 목적을 향해 살아가고 있지는 않나요? 되고 싶은 나의 모습은 어떤 모습인가요? 나만의 인생을 살기 위해서는 여러 질문들에 대한 답을 스스로 내려야 할 필요가 있습니다. 은둔자 카드는 당신에게 시간이 필요하다고 말하고 있습니다. 당신이 진정으로 원하는 것이 무엇인지, 어떤 인생을 살아야 하는 것인지 성찰하는 시간 말이에요.

WHEEL *of* FORTUNE

WHEEL OF FORTUNE

운명의 수레바퀴

"거부할 수 없는 운명의 힘"

))○((

하늘 위에서 커다란 바퀴가 돌고 있습니다. 이 바퀴 위에는 삶을 상징하는 '스핑크스'가, 바퀴 아래에는 죽음을 상징하는 '아누비스'가 있어요. 그리고 바퀴 주변, 카드의 네 모서리에는 각각 봄, 여름, 가을, 겨울의 사계절을 상징하는 황소, 사자, 독수리, 천사가 모두 책을 읽고 있는 모습입니다. 삶과 죽음, 사계절 사이에서 끊임없이 돌고 있는 운명의 수레바퀴는 나의 의지와 관계 없이 주어지는 운명에 대해 말하고 있습니다. 이 운명은 좋은 일일 수도 있고, 좋지 않은 일일 수도 있어요. 하지만 계속 학습하고 발전하는 모습을 통해 운명에 대해 내가 가져야 할 태도와 관점이 중요하다는 것을 이야기하고 있습니다.

타로카드 속 상징과 의미

커다란 수레바퀴
운명, 반복되는
신의 섭리

스핑크스
삶을 의미

아누비스
죽음을 의미

**황소, 사자, 독수리,
천사가 책을 읽는 모습**
끊임없는 배움과 성찰이
필요하다는 의미

황소
봄

사자
여름

독수리
가을

천사
겨울

🔑 **긍정적 키워드**

운명,
행운

🔑 **부정적 키워드**

거부할 수 없는 고난,
피할 수 없는 어려움

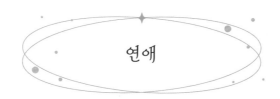

•✦•✦•• 어떻게 리딩할까? ••✦•✦•

연애

타로
묘묘's
TIP

'만나게 될 운명은 만나게 된다'라는 속성을 연애운에 연결해보세요.

솔로

운명적인 인물이 등장하게 됩니다

운명적인 만남이 예상됩니다. 사계절, 그리고 삶과 죽음을 의미하는 상징이 있기 때문에 인생의 희로애락과 중대사를 함께 할 수 있는 인연으로 발전할 수 있습니다. '수레바퀴는 돌아서 다시 제자리에 온다'라는 뜻으로, 연락이 끊어졌던 과거의 인물이 등장하면서 인연으로 연결될 수 있어요.

커플

삶을 함께 일궈나갈 동반자로 발전합니다

두 사람이 서로가 운명적인 상대임을 이미 느끼고 있거나, 그것을 확인하는 계기가 생길 것입니다. 운명의 수레바퀴의 삶과 죽음을 함께 하는 동반자임을 받아들이게 될 거예요. 또한, 사계절을 말하는 4개의 상징이 책을 읽는 모습은 두 사람의 발전된 관계를 위해서는 끊임없이 노력을 해야 힘을 나타냅니다.

재회

다시 만나게 될 운명입니다

두 사람은 다시 만나게 될 운명입니다. 수레바퀴의 회전이 반복되는 것처럼, 끝났다고 생각했던 관계가 다시 시작될 것입니다. 상대방이 다시 다가오고 연락하면서 재회할 가능성이 높습니다.

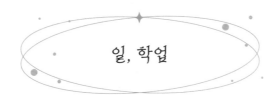

일, 학업

타로
묘묘's
TIP

'운명'이라는 키워드를
커리어에
적용해보세요.

내가 가야 할 길을 깨닫게 됩니다

'이 길이 내가 가야 할 길이다'라고 깨닫게 되는 사건
이나 계기가 생깁니다. 혹은 커리어의 변화를 만들 수
있는 제안을 받게 될 것 같네요. 수레바퀴가 뜻하는
'이동'이라는 상징을 고려하면 전공의 변화, N잡, 이
직, 창업 등의 가능성이 있고, 이것이 실현될 움직임
이 있을 것으로 보입니다.

금전

타로
묘묘's
TIP

카드의 영문명 중에서
'FORTUNE'의 의미를
'행운'으로 해석할 수
있어요.

금전적인 행운을 기대해볼 수 있어요

카드의 이름인 'WHEEL of FORTUNE' 중에서
'FORTUNE'은 '운명'을 의미하지만, '행운'이라는 뜻
도 가지고 있어요. 금전운에서는 행운의 의미로 해석
할 수 있습니다. 생각하지 못했던 금전이 들어오거나
복권이 당첨되는 등의 행운을 기대해볼 수 있습니다.

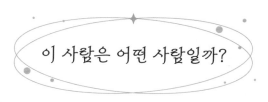

이 사람은 어떤 사람일까?

인생의 경험이 풍부한 사람입니다

이 사람은 인생에서 많은 것들을 경험해왔을 거예요. 인간관계에서도 만남과 헤어짐을 수없이 겪어봤을 것이고, 깊은 사랑의 감정과 뼈아픈 이별까지 모두 겪어봤을 거예요. 그런 과정들을 겪으며 깊은 내공을 갖추게 되었을 겁니다. 수많은 경험을 통해 자신만의 인생관과 가치관을 쌓아왔으며, 다가올 미래를 향해 겸손한 태도를 유지하는 사람입니다. 일희일비하지 않으며 부, 명예, 사랑 등에 집착하지 않습니다.

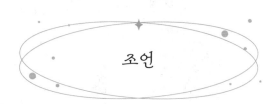

조언

일어나야 할 일은 일어납니다

'일어나야 할 일은 일어난다'라는 것을 말하고 있어요. 인생의 커다란 사건은 우리에게 마치 '주어지듯' 일어납니다. 나의 뜻과는 무관하게 느껴지죠. 하지만 이 수레바퀴를 둘러싼 4가지 상징들은 모두 책을 펴고 공부에 매진하는 모습입니다. 주어진 운명 안에서 나만의 길을 개척하고 학습하고 성장하는 힘을 말하고 있습니다. 살면서 장애물을 만나게 되어도, 결코 길이 막히는 것이 아님을 마음에 새기세요.

XI

JUSTICE

정의

"공정하고 정의로운 이성적 판단력"

》》○《《

당당하고 엄숙한 표정의 여성이 서 있어요. 카드 속 인물은 정의의 여신으로 알려져 있는 법의 여신 '디케'입니다. 왼손에 들고 있는 저울은 균형을 의미하는데요. 어느 한 곳에 치우치지 않고 공정한 판단을 하겠다는 의지를 보여줍니다. 오른손에 들고 있는 큰 검은 심판, 즉 정확하게 나누겠다는 것을 의미합니다. 여신의 근엄한 표정을 보면 공정한 판단을 내리겠다는 의지가 읽힙니다.

타로카드 속 상징과 의미

재판관
정의의 여신
'디케'를 상징

저울
균형을 의미

칼
공정한 판단을
내리려는 의지

붉은 옷
권력을 의미

🗝 긍정적 키워드

공정, 정의,
합당한 결과

KEYWORD

🗝 부정적 키워드

차가운,
냉정한

• • • ✦ ✦ 어떻게 리딩할까? ✦ ✦ • • •

연애

타로 묘묘's TIP 연애운에는 애정의 기운이 필요한데, 이 카드 속 여신의 모습은 냉정하고 공정하며 이성적인 판단을 내리는 모습입니다.

솔로

인연에 대한 나만의 기준을 만들어가는 시기입니다

당분간 인연을 만나기보다 나만의 기준을 만들어가는 시기가 될 것입니다. 새로운 사람이 나타날 수도 있지만, 그 사람이 나와 잘 어울리는지 냉정하게 생각하게 될 거예요. 조건에 맞는 이성을 찾게 되며, 빠르게 감정적으로 연결되는 것은 쉽지 않겠네요. 차갑고 냉정한 상태를 유지하게 되니 새로운 누군가와 연인으로 발전하기는 어렵습니다.

커플

성숙한 단계로의 진입이 가능해집니다

모든 것이 좋게만 보이던 시기에서 벗어나, 한층 성숙한 관계로 진입하게 되며, 각자의 역할이 정립되는 시기입니다. 명확하게 서로의 장단점과 역할에 대해 의논할 수 있어요. 불필요한 감정 소모나 다툼이 현저히 적어지며, 각자의 삶을 유지하면서도 연인 관계를 균형 있게 만들어갈 수 있는 성숙한 단계로의 진입을 의미합니다.

재회

상대방의 마음이 차가워져 있는 상태입니다

재회를 하기 위해서는 처음 만났을 때보다 더 큰 열정과 용기가 필요합니다. 하지만 상대방은 재회할 경우 생기는 여러 문제와 갈등 상황 등에 대해 냉정하게 생각하고 있습니다. 결국 그 모든 것을 이기고 당신에게 다시 돌아올 정도로 애정이 크지는 않다고 보입니다.

일, 학업

노력에 대한 정당한 평가를 받게 됩니다

그동안 노력을 쌓아온 것이 있나요? 그렇다면 그것에
대해 정당한 보상이나 평가를 받게 될 것입니다. 예상
했던 결과와 성과를 거둘 수 있어요. 그러나 노력하지
않고 요행을 바라고 있다면 좋은 결과를 가질 수 없습
니다. 이 카드에서 정의의 여신은 '뿌린 대로 거둘 것
이다'라는 메시지를 주고 있어요.

금전

투자하고 노력했던 것에 대한 합당한 결과가
있을 것입니다

그동안 금전과 관련하여 투자하고 노력한 분야가 있
다면 노력에 합당한 보상이 들어올 것입니다. 하지만
정의 카드는 '노력한 것에 걸맞은 결과'를 의미하기
때문에, 요행이나 행운에 따른 금전운은 기대하기 어
렵습니다.

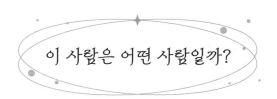

이 사람은 어떤 사람일까?

타로
묘묘's
TIP

저울과 칼을 들고서
정확한 판단을 하려는
정의의 여신의 모습을
인물의 성격과
연결지어보세요.

냉철한 판단력을 가진 사람입니다

냉정하고 이성적인 판단을 내리는 인물입니다. 정에
이끌려 실수하는 일이 많이 없습니다. 평소 공평함과
질서를 유지하려고 노력하죠. 하지만 내면에는 끊임
없이 자기 수양에 애쓰니다. 하지만 겉으로는 따뜻함
을 드러내지 않고 '까다롭고 감정에 휘둘리지 않는다'
라는 인상을 주기 때문에 주변에서는 이분의 따스함
을 모르고 지나치는 경우가 많습니다.

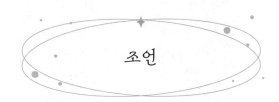

조언

타로
묘묘's
TIP

옳고 그름을
판단하는 정의의 여신의
모습을 상황에 맞게
적용해보세요.

스스로 옳다고 생각되는 일을 하세요

열심히 노력해도 결과가 좋지 않을 것이 걱정되어 시
작하지 못하는 일이 있나요? 또는 이 길이 맞다고 생
각은 하지만, 다른 사람들의 의견과 달라서 확신이 부
족한가요? '정의' 카드는 '당신이 맞다고 생각하는 일
을 하세요'라고 말하고 있어요. 당신이 노력한다면 반
드시 그에 맞는 결과를 가지게 될 거예요. 마음의 중심
을 단단히 잡고 그 일을 시작하세요.

XII

THE HANGED MAN

거꾸로 매달린 사람

"움직일 수 없는 상황 속에서의 인내와 깨달음"

))) ◯ (((

한 남자가 나무에 발이 묶인 채 거꾸로 매달려 있습니다. 묶여 있는 상태로 움직일 수 없기 때문에 주로 상황이나 시기적으로 부정적인 의미로 읽히는 편입니다. 시련을 겪고 있더라도 극복해야만 하는 상황이나, 인내심이 필요한 시기에 주로 나오는 카드입니다. 무언가를 자유롭게 맺고 끊을 수 없는 상황으로, 현 상태에서 멈출 수밖에 없어요. 혼자 힘으로는 이 상황으로부터 변화하는 것이 불가능합니다. 이 카드는 '정지, 멈춤'의 의미로 주로 읽게 됩니다. 또, 혼자 있는 카드 속 인물의 특성으로 보아 '외로움, 한계'라는 의미로도 읽을 수 있어요. 그런데 남자의 표정은 평온해 보이지 않나요? 이 카드는 발이 묶인 이 순간의 치열한 고독과 시련을 통해 자신을 처절하게 깨달아가는 시기를 뜻하기도 합니다. 남자의 머리 뒤로 보이는 후광은 또렷한 생각, 살아있는 정신, 고통을 이겨내는 강한 정신력을 보여줍니다. 움직일 수 없기 때문에 깨닫게 되는 진리가 있습니다. 생각대로 움직일 수 없는 상황이고 자유가 뺏긴 몸이기에 조용히 내면을 돌아볼 수 있다는 것을 의미하는 카드입니다.

타로카드 속 상징과 의미

거꾸로 매달려 발이 묶인 상태
답답함, 필연적 시련, 고독을 의미

머리 뒤의 후광
맑은 정신, 새로운 시각을 의미

편안한 표정, 여유 있는 자세
인내에 통달한 모습

🗝 긍정적 키워드	🗝 부정적 키워드
인내, 꺾이지 않는 의지, 새로운 시각	움직일 수 없는, 멈춤, 시련, 고난, 외로움

✦ ✦ ✦ ✦ 어떻게 리딩할까? ✦ ✦ ✦ ✦

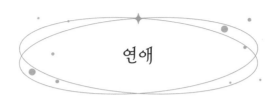

연애

**타로
묘묘's
TIP**

거꾸로 매달린 사람이 '혼자 나무에 고정된 상태'에 있다는 것을
연애운과 연결해보세요.

솔로

사랑이 시작되기 어려운 시기입니다

인연을 만나기 어려운 시기가 한동안 이어집니다. 아무런 변
화가 없는 시기입니다. 누군가를 향한 호감이 생길 수는 있
지만, 직접 행동으로 옮기기는 어렵습니다. 짝사랑 중이라면
고백도 어려울 것 같네요. '바라만 보는 사랑' '내가 배려하
고 희생하지만 보답이 없는 짝사랑'에 머무를 수 있습니다.

커플

서로 다른 마음을 가진 채 진전되지 않습니다

두 사람은 예전의 좋았던 마음보다는 다른 관점으로 관계를
바라보게 됩니다. 서로의 마음을 이해하지 못하고 이기적으
로 행동하게 될 수 있어요. 두 사람은 지금 서로의 단점을 알
면서도 참고 있습니다. 또 관점이 다른 만큼 각자가 바라는
미래의 모습이 다를 수 있습니다.

재회

현재 상태에 머물러 있을 가능성이 큽니다

멀어진 두 사람, 이 상태에서 변화하는 모습은 보이지 않겠네
요. 상대방은 체념하고 있는 것 같아요. 육체적, 정신적으로
꽤 지친 상태일 것입니다. 그러니 재회나 상대방에게서 연락
이 올 가능성은 낮아 보입니다. 먼저 연락하기보다 그저 지켜
보는 것이 최선이라고 보이네요.

일, 학업

움직임과 변화가 없는 상태가 지속됩니다

학업과 커리어에서 변화를 주기 어렵습니다. 전공의
변화나 이직 등의 이동수도 낮다고 볼 수 있어요. 자유
롭게 움직일 수 없기 때문에 '거절할 수 없는 업무'를
맡게 될 가능성도 있습니다. 직장에서 희생을 강요받
게 되거나 야근과 추가 업무 등 육체적인 피로가 늘어
날 것으로 보이네요.

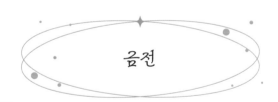

금전

금전의 흐름이 막힙니다

금전운의 핵심은 '금전의 흐름'입니다. 그러나 거꾸로
매달린 사람은 고정된 상태죠. 금전 흐름이 막히게 되
고 한동안 변화가 없을 것으로 보입니다. 만약 새로 일
을 맡게 되거나 계약을 진행하게 된다면, 예상외로 보
상이 적게 들어오거나, 보상이 들어오는 시기가 미뤄
질 수 있어요. 금전의 흐름이 막힌 기운이 유지되니,
금전적으로 답답하게 느껴질 수 있습니다.

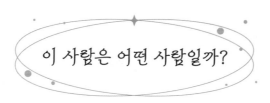

이 사람은 어떤 사람일까?

타로
묘묘's
TIP

거꾸로 매달린
상태에서도 후광이
비치는 주인공을
사람의 성격에
연결지어보세요.

가치관이 뚜렷하고 인내심이 강한 사람입니다

남들이 보지 못하는 시각을 갖고 있기 때문에 창의적인 면이 많은 사람입니다. 또 꼿꼿한 정신이 살아 있으며, 고난을 잘 참아내고 인내심이 강한 성격입니다. 주변에 도움을 요청하지 않기 때문에 사람들은 이 사람의 고통과 어려움에 대해 잘 알지 못하는 경우가 많아요. 또 고난이나 고통을 외면하고 회피하지 않는 성격으로, 주어진 역할에 책임감이 강하다는 특징도 있는 사람입니다.

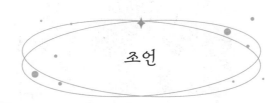

조언

타로
묘묘's
TIP

묶여 있는 상황에서도
평온한 표정을 짓고 있는
카드 속 인물과 연결지어
생각해보세요.

나를 붙드는 상황을 돌아보며,
새롭게 깨달음을 얻을 기회로 삼아보세요

기나긴 인내의 시간 속에서 때로 우리는 자신을 더욱 냉정하게 마주할 수 있습니다. '바꿀 수 없는 현실 속에서 나는 무엇을 깨달을 수 있을까? 운명이 나에게 주는 의미는 무엇일까?' 부정적인 상황에 새로운 의미를 부여하려고 노력해보세요. 나를 묶어두는 부정적인 장애물이라고 생각했던 것이, 때로는 나만의 길을 만들어가는 중요한 과정이 되어주기도 하니까요.

XIII

DEATH

죽음

"완전한 종결, 새로운 시작"

☽ ☽ ○ ☾ ☾

검은 갑옷을 입은 죽음의 기사가 백마를 타고 오고 있습니다. 바닥에 쓰러진 사람 옆에 뒹굴고 있는 왕관을 보면 이전에 왕이었던 사람이 죽은 상황 같아요. 이것은 곧 과거 권력의 종말을 의미합니다. 두 손을 모으고 있는 아이는 마치 이 상황, 즉 '과거 시대의 종말, 대변화'를 기다려온 것 같아 보입니다. 어둠이 끝나고 새 시작을 알리는 태양이 저 멀리에서 뜨고 있어요. 기사가 들고 있는 깃발의 모양이 '새로운 시작'을 상징하는 흰 장미인 것을 보면 '이제 새로운 시대가 시작된다'라고 해석할 수 있습니다. '죽음' 카드는 끝을 말하는 동시에 새로운 시작을 의미합니다.

• ✦ • ✦ • ✦ 타로카드 속 상징과 의미 • ✦ • ✦ • ✦ •

검은 갑옷을 입은 해골
죽음의 기사,
죽음, 끝을 의미

바닥에 쓰러진 왕
구시대의 종말

두 손을 모으고 있는 아이
대변화를 기대하는
모습

기사가 들고 있는 검은 깃발의 흰 장미, 떠오르는 태양
새로운 시작을 의미

⚷ 긍정적 키워드

새로운 시작,
대변화

KEYWORD

⚷ 부정적 키워드

죽음, 종결,
단절, 끝

✦ ✦ ✦ ✦ 어떻게 리딩할까? ✦ ✦ ✦ ✦

연애

타로묘묘's TIP '현재 상태의 완전한 종결'이라는 의미를 연애운과 연결해보세요.

완전한 끝과 새로운 시작이 있을 것입니다

솔로

오랫동안 솔로였다면, 이제 솔로 생활의 청산이 기대되는 시점입니다. 반대로 애매하게 유지했던 썸, 짝사랑 등의 관계가 있다면 완전히 끝이 날 것임을 의미합니다. 솔로 상태를 끝내기 위해서는 '대변화가 필요하다' '기존의 환경을 완전히 바꿔야 한다'라는 조언도 읽어볼 수 있어요.

현재의 관계에 있어서 종결을 피할 수 없습니다

커플

관계의 종결이 다가올 수 있습니다. 관계가 끊어지지 않더라도 현 상태로부터 큰 변화가 올 것으로 볼 수 있어요. 카드를 보면 말을 타고 온 저승사자가 종결을 고하고 있는 모습입니다. 두 사람의 의지와 관계없이 멀어질 수밖에 없는 상황이 생길 것 같아요.

과거의 관계는 완전히 끝나게 됩니다

재회

두 사람은 완전히 끝이 난 상태로 보입니다. 카드 속에서 바닥에 누워 있는 왕의 모습은 '구시대의 것이 끝난다'라는 의미를 가지고 있습니다. 과거의 관계는 완전히 청산될 거예요. 그러니 재회의 가능성은 낮다고 보입니다. 새로운 태양이 떠오르고 있는 것처럼, 미련을 버리고 새로운 인연을 위한 마음의 준비가 필요하다고 카드는 조언하고 있어요.

일, 학업

새로운 장면으로의 전환이 있을 것입니다

새로운 상황이 시작될 것입니다. 현재 하고 있는 업무
나 학업 등을 끝내고, 전혀 다른 업종이나 회사로 이
동하게 될 수도 있어요. 커리어 전환의 갈림길이 등장
합니다. 퇴사에 대한 결단을 내리게 되거나 부서 이
동, 업무의 전환이 예상됩니다. 새로운 방향으로의 전
환을 고민하고 있나요? 현재 하는 것을 과감하게 끝낸
뒤 새롭게 방향을 전환하면 어떨까요?

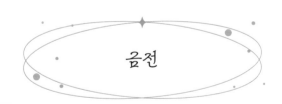

금전

부정적 상황이 종결됩니다.
투자에는 신중하게 접근하세요

이 카드는 '현재 상태의 종결'을 말하기 때문에, 만약
현재 금전과 관련한 부정적인 상황에 놓여 있다면 그
상황이 마무리된다는 것을 암시합니다. 투자를 생각
중이거나 무언가 금전적으로 모험을 시도하려고 하고
있는데 이 카드가 나왔다면 좋지 않은 결말이 예상되
므로, 신중하게 접근하는 것이 좋겠습니다.

이 사람은 어떤 사람일까?

타로
묘묘's
TIP

'죽음의 기사'
'커다란 변화'라는
키워드를
연결해보세요.

독특한 운명을 가진 냉정하고 차가운 사람입니다

냉정하고 차가운 사람입니다. 자신의 속내를 드러내지 않기 때문에 '도대체 저 사람은 무슨 생각을 하는지 알 수 없어'라는 결론을 내리게 되는 사람입니다. 이 사람은 일반적인 사람들과 달리 독특한 운명을 가진 경우가 많습니다. 갑작스럽게 가족을 떠난다거나 전공을 바꾼다거나, 이민을 단행하는 경우도 있습니다. 개혁을 단행하는 면도 있기 때문에, 이런 사람은 조직을 확 바꾸는 유형이기도 합니다.

조언

타로
묘묘's
TIP

시작을 위해서는
끝이 필요하다는
카드의 메시지와
연결해보세요.

대대적인 변화를 위한 결단이 필요합니다

'지금의 상황을 끝내야 한다'라는 것을 알면서도 끝내지 못하고 있지 않나요? 죽음 카드는 완전한 대변화가 필요하다고 말하고 있습니다. 그리고 그 변화를 위해서는 과감한 결단이 필요합니다. 끝이 없다면 새로운 시작도 없습니다. 죽음의 고통을 넘어서면 탄생이 기다리고 있습니다. 고통과 두려움 때문에 변화를 피하지 말고 새로운 시작을 위해 용감하게 결단해야 할 때입니다.

XIV

TEMPERANCE

절제

"균형을 이루기 위한 절제와 인내"

 ☽ ☽ ○ ☾ ☾

천사가 컵에서 컵으로 물을 옮기고 있습니다. 눈을 감고 있는 것으로
보아 최대한 주변 상황에 신경 쓰지 않으려는 모습으로 보이며, 신중
함이 느껴집니다. 컵에서 컵으로 물을 이동할 때는 흘리지 않도록 조
심해야 하고 한 번에 많은 양을 부어서도 안 되겠죠. 절제력이 필요하
고 성급해서도 안 되는 상황입니다. 조심스럽게 균형도 잘 맞춰야 합
니다.

두 컵에 담긴 물을 섞는 것은 두 가지를 중재하는 모습으로 읽을 수 있
습니다. 무언가를 섞고 결합하는 모습은 '소통'을 의미하기도 합니다.
서로 다른 것을 섞다 보면 새로운 '해결책'이 등장할 수 있습니다. 무
언가를 섞는다는 것은 적절한 수위와 수준으로 행해져야 하므로, 적절
하게 균형을 맞추는 것이 중요하다는 의미가 있습니다.

타로카드 속 상징과 의미

눈을 감고 있는 천사
유혹에 흔들리지 않음, 인내를 의미

두 컵을 손에 들고 물을 옮기는 모습
균형과 조화를 이루는 과정을 의미

긍정적 키워드

절제, 균형,
조화

KEYWORD

부정적 키워드

오랜 기다림,
답답함

· · · · ✦ 어떻게 리딩할까? ✦ · · · ·

연애

타로
묘묘's
TIP

천사가 컵에서 컵으로 물을 옮기기 위해 인내하고
기다리는 모습을 연애운에 적용해보세요.

솔로

목표를 이루기 위해서는 여유와 조율이 필요합니다

너무 서두르지 마세요. 내 삶의 여유와 균형을 찾고 기다리면
좋은 인연이 등장할 거예요. 현재 호감 가는 사람이 있거나
썸 상태라면, 한동안 서로 탐색하는 시간이 필요합니다. 급
하게 관계를 진전시키려다가 오히려 관계를 망칠 수 있어요.

커플

균형을 잡아가는 건강한 관계의 모습입니다

서로 신경을 많이 쓰고 인내하고 조율을 위한 배려를 하는 단
계입니다. 상대방과 어떻게 하면 잘 지낼 수 있는지에 대해
이해하고 균형을 찾아가는 모습이에요. 이 단계가 답답하게
느껴질 수도 있겠지만 지금은 조율을 할 시기입니다. 건강한
관계를 위해서는 이 시간이 필요합니다.

재회

상대방의 과감한 시도를 기대하기는 어렵습니다

상대방은 자신에게 집중하고 있습니다. 본인의 삶에서 여러
균형을 찾기 위해 고군분투하는 시간일 수도 있고, 삶과 사랑
사이의 균형을 찾기 위해 조율하고 있을 수도 있습니다. 한동
안은 혼자만의 시간이 필요할 듯합니다. 재회가 이루어지려
면 감정의 급격한 변화와 과감한 용기가 필요합니다. 현재 상
대방은 그러한 시도는 어려운 상태로 보입니다.

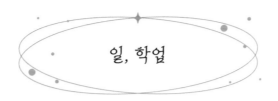

일, 학업

타로
묘묘's
TIP

목적을 이루기 위해
절제하고 조율하는
천사의 모습을 커리어와
연결해보세요.

서두르지 않는다면 좋은 결과가 있을 거예요

천천히 인내하며 노력하다 보면 좋은 결과가 기다릴 거예요. 지금은 양보하고 참아야 할 때입니다. 업무적으로는 자신의 의견이 옳다고 생각해도 강하게 주장하기보다는 직장 동료, 상사, 후배 등과 조화를 이루기 위해 절제하는 태도로 노력해야 합니다. 계약을 앞둔 상황이라면 원활하게 마무리하기 위해서 절제하며 상대방과 조율해야 합니다. 양보하려는 마음가짐이 더욱 좋은 결실로 이어질 수 있어요.

금전

타로
묘묘's
TIP

눈을 감고
절제력을 발휘하는
천사의 모습을
금전운에 대입해보세요.

신중하게 조율할 때입니다

투자하거나 돈을 지출할 때 절제하고 신중해야 합니다. 무리해서 투자하거나 즉흥적으로 지출하는 것은 바람직하지 않습니다. 자금 상황을 관리하면서 구체적인 목표와 계획을 세운 후 움직여야 합니다. 주변 사람들에게서 다양한 정보와 조언을 얻어보세요. 주변에 귀를 기울이며 나의 생각을 섬세하게 조율하는 것이 좋습니다. 신중하게 대처할 때 금전운의 흐름이 더 좋아진다는 것을 명심하세요.

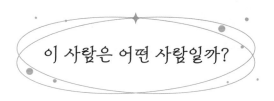

이 사람은 어떤 사람일까?

유혹에 흔들리지 않는 진중하고 강인한 사람입니다

절제력과 인내심이 강한 사람입니다. 유혹에 흔들리지 않으며 천천히 앞으로 나아가는 여유와 힘이 있습니다. 다른 사람의 의견을 폭넓게 수용하기 때문에 중재자의 역할을 맡게 되고, 사람들이 잘 따릅니다. 나중에 한 조직의 리더가 되는 사람이 많습니다. 인내하고 타인의 의견을 수용하는 리더십을 발휘합니다. 인간관계가 넓은 사람이며, 성실하게 묵묵히 자신의 일을 수행해나가는 사람입니다.

조언

조급해하지 마세요

목표에 도달하기 위해서는 충분한 시간, 그리고 인내와 절제가 꼭 필요합니다. 절제 카드 속 천사의 모습을 보면 눈을 감은 채 컵의 물을 옮기는 데에만 모든 감각을 집중하고 있어요. 어떠한 유혹에도 흔들리지 않겠다는 모습입니다. 한 번에 많은 양의 물을 쏟아붓고 있지도 않아요. 카드는 조금씩 천천히 집중하다 보면 분명 목표에 도달할 것이라고 말하고 있습니다.

XV

THE DEVIL

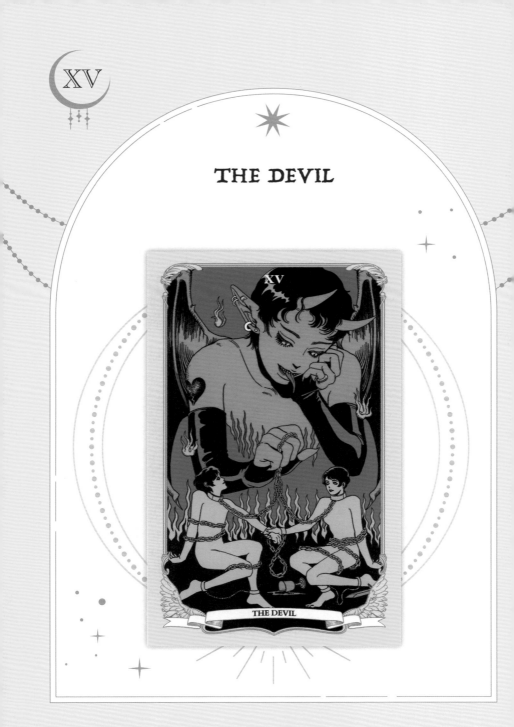

THE DEVIL

악마

"집착과 중독에 빠지게 되는 치명적인 악마의 유혹"

어마어마한 체구의 이 악마는 마치 '나를 이길 수 없을 것이다'라고 말하고 있는 것 같아요. 악마가 카드 속 남녀를 쇠사슬로 묶어둔 것처럼 보이지만, 정작 그들은 벗어나려는 의지가 없어 보여요. 그들은 스스로 이 상황을 자초했고 자유를 찾을 생각이 없습니다. 악마는 우리를 묶어두고, 자신의 부하로 삼기 위해서 처음에는 욕망을 자극해요. 그리고 유혹하죠. 그 치명적인 유혹에 빨려들어가 악마의 계산에 빠지고, 중독됩니다. 주도권을 악마에게 뺏겨서 이성을 잃게 되고, 육체적인 쾌락과 매력에 집착하게 됩니다. 악마는 치명적인 매력을 의미하기도 합니다. 사람들을 어떻게 하면 매혹시킬 수 있는지 본능적으로 알고 있기 때문에 욕망을 건강하게 표현하면 사람의 마음을 사로잡는 예술이 될 수 있습니다.

·✦·✦·✦· 타로카드 속 상징과 의미 ·✦·✦·✦·

악마
욕망의 신

쇠사슬에 묶인 남녀
악마에 종속됨을 의미

벌거벗은 남녀
육체적 쾌락, 치명적 매력을 의미

☞ 긍정적 키워드

치명적 매력,
뛰어난 예술적 감각

KEYWORD

☞ 부정적 키워드

집착, 중독,
구속, 불안, 죄

어떻게 리딩할까?

연애

타로
묘묘's
TIP

'악마의 유혹' '쇠사슬에 서로 묶여 있지만, 그 상황에서 벗어나려고 하지 않는 두 사람의 모습'을 연애운에 적용해보세요.

솔로

바람직하지 않은 만남에 휘말리게 될지도 모릅니다

바람직하지 않은 만남에 휘말릴 수 있습니다. 불륜, 바람과 같은 부적절한 상황에 끌리거나, 사랑하는 마음 없이 육체적인 관계에만 집착하게 될 수 있어요. '이러면 안 된다'라는 것을 알면서도 그 상황에서 벗어나기 위해 노력하기보다는, 중독된 상태로 머물고자 하는 것으로 보입니다.

커플

상대방에게 집착하는 모습입니다

작은 행동에도 서운함이나 질투를 느끼게 될 수 있습니다. 상대방을 감시하려고 하지는 않나요? 상대방의 모든 것을 내가 컨트롤하고 옭아매려는 마음일 수 있어요. 당신은 내심 이런 식의 관계가 바람직하지 않다고 느끼지만, '이것이 사랑의 표현 방법이야'라고 생각하고 있지는 않나요? 관계에 집착하는 것에서 벗어나, 다른 곳에 관심을 갖고 마음을 분산하는 것이 필요합니다.

재회

육체적 관계에 대한 그리움

상대방에 대한 사랑의 감정보다는 육체적 관계를 그리워하고 있네요. 두 사람의 관계에 대한 진지한 고민보다는 육체적 관계, 또는 일회성 연락에 그칠 수 있습니다. 오랫동안 지속할 수 있는 관계일지 궁금하다면, 카드의 답변은 부정적입니다.

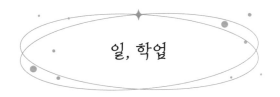

일, 학업

**집중해야 할 업무나 학업이 아닌
다른 유혹에 빠지게 됩니다**

업무나 학업에 집중해야 하는 시기지만, 좀처럼 집중
하지 못하게 하는 유혹에 빠지게 되는군요. 전혀 다른
분야가 좋아 보이거나 편해 보이면서 '나의 길을 포기
해야 하나?'라는 유혹에 빠질 수 있죠. 절제력과 자제
력을 잃은 채 자극적인 쾌락과 유흥에 빠지게 되면서
일에 지장이 생길 수 있습니다.

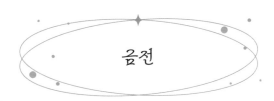

금전

합리적이지 않은 투자나 지출의 위험이 있습니다

무분별한 소비에 집착하게 되거나, 무언가에 홀린 듯
신중한 판단 없이 투자를 하게 될 수 있습니다. 작은
욕망의 씨앗이 점점 커져 돌이킬 수 없는 지출로 이어
질 수 있어요. 나중에 벗어날 수 없는 상황이 되어 후
회하게 될 수 있으니, 투자나 지출이 필요한 순간에
냉정한 판단을 해야 합니다.

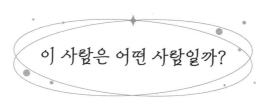

이 사람은 어떤 사람일까?

타로
묘묘's
TIP

유혹적인 악마의
모습은 매력적이라는
특징으로 연결할 수
있습니다.

치명적인 마성의 매력을 가진 사람

치명적인 매력을 가지고 있는 사람입니다. 사람들을
어떻게 하면 유혹할 수 있는지 본능적으로 잘 알고 있
죠. 그런 면을 마케팅, 예술 분야에 활용하면 좋습니다.
인기를 타고났기 때문에 '나는 매력이 넘친다'는 것을
스스로도 잘 알고 있는 자신감이 강한 사람입니다.

조언

타로
묘묘's
TIP

쇠사슬에 묶여 있지만
벗어나려는 노력이 없는
카드 속 남녀의 모습을
나 자신에게
대입해보세요.

유혹을 스스로 끊어내는 자제력이 필요합니다

유혹에 빠지게 되는 것은 결국 나의 선택이 아니었을
까요? 절제력과 자제력을 잃게 되면서 '어쩔 수 없었
어'라는 핑계를 대고 있지는 않나요? 중독적인 행동에
집착하는 것, 유혹에 빠지는 행동은 모두 자신과의 싸
움에서 이기지 못하는 것에서부터 시작합니다. 한번
자제력을 잃으면 걷잡을 수 없게 됩니다. 결국 카드 속
'악마의 쇠사슬'은 나의 선택에 따르는 결과입니다.

XVI

THE TOWER

탑

"예측하지 못한 외부적 충격과 변화"

))○(((

하늘에서 천둥 번개가 치고, 벼락을 맞은 탑은 불타고 있습니다. '청천 벽력'이라는 사자성어가 떠오르는 상황입니다. 이 상황을 전혀 예상하지 못했던 사람들이 급하게 탑에서 뛰어내리고 있는 모습입니다. 그동안 '견고히 쌓아올렸던 탑은 안전하다'라고 생각했던 관념에서 탈피하게 되는 장면이라고 볼 수 있습니다. 기대했던 무언가가 무너지거나 회복할 수 없을 정도로 충격을 받게 되는 상황이죠. '왜 이런 일이 나에게 일어나지?'라는 생각이 허공에 맴돌 것입니다. 그러나 이 카드는 '전화위복'을 의미하기도 해요. 갑작스럽고 예상하지 못했던 변화로 인해 새로운 관점으로 세상을 바라볼 수 있게 됩니다. 혼란을 이겨내고 반전의 기회로 삼아보세요.

✦ ✦ ✦ ✦ 타로카드 속 상징과 의미 ✦ ✦ ✦ ✦

천둥 번개
예상하지 못한
외부적 충격

탑
쌓아올려온 업적,
현재 상태

탑에 불이 붙은 모습
기존에 쌓아올린
것이 무너짐

떨어지는 두 사람
어쩔 수 없는 변화

⚷ 긍정적 키워드

충격, 대혼란,
갑작스러운 변화

KEYWORD

⚷ 부정적 키워드

통제할 수 없음,
붕괴, 파괴

• • ✦ • ✦ • 어떻게 리딩할까? • ✦ • ✦ •

연애

타로
묘묘's
TIP

무너지기 전의 탑은 현재 상태나 기존의 관계를 의미합니다.

솔로

알고 지내던 사람이 갑자기 눈에 들어올 수 있습니다

갑작스러운 변화가 다가오고 있습니다. 알고 지내긴 했지만 전혀 연애 감정이 느껴지지 않았던 인물이 눈에 확 들어올 수 있어요. 갑자기 어떤 한 계기로 상대방의 이미지가 완전히 바뀌게 되고, 머리로는 이해할 수 없지만 그 사람에게 빠져버릴 수 있어요. 혹은 기존에 알고 지내던 동료나 친구와 순간적인 계기로 인해 육체적인 관계를 맺게 될 수도 있습니다.

커플

갑작스러운 이별을 맞거나 관계가 멀어질 수 있습니다

뜻밖의 이유로 헤어지게 되거나 관계가 멀어질 수 있습니다. 둘 중 한 사람이 먼 거리로 이동하게 되거나 출장, 발령 등으로 물리적으로 멀리 떨어질 수 있습니다. 통제할 수 없는 외부적 충격에 의해 관계가 허물어질 수 있음을 의미합니다.

재회

미련을 버려야 합니다

두 사람의 관계는 이미 끝이 났습니다. 상대방을 향한 미련이나 집착이 있다면 완전히 털어버리는 것이 필요합니다. 완전히 미련을 내려놓는다는 것은 쉽지 않을 거예요. 하지만 불타고 무너지는 탑에서 계속 머무를 수는 없습니다. 카드 속의 사람들처럼 탑으로부터 완전히 벗어나야 하며, 이제는 미련을 내려놔야 합니다.

일, 학업

타로
묘묘's
TIP

외부적 충격에 의한
변화를 커리어에
대입해보세요.

예상하지 못한 이유로 상황이 급변하게 됩니다

내 길이라고 생각했던 전공이나 커리어에 변화가 생길 것입니다. 학업을 이어오던 사람이 갑작스럽게 취업하게 되는 등 방향을 급격히 전환하게 될 수 있어요. 업무의 경우라면 갑작스레 부서를 이동하게 되거나, 신설된 부서로 차출되는 등 원치 않는 변동도 예상해볼 수 있습니다. 인사 변동, 출장 등으로 혼란을 겪게 될 수 있어요.

금전

타로
묘묘's
TIP

외부적 충격에 의해
금전 계획이 변하게
되는 상황을
떠올려보세요.

예상한 방향대로 흘러가지 않습니다

예상한 방향대로 흘러가지 않을 것입니다. 생각지도 못한 사고가 발생하며 계획이 틀어질 수 있어요. 당장은 손해를 볼 수 있습니다. 하지만 이를 만회할 기회도 충분히 보입니다. 이 변화의 흐름을 반전의 기회로 삼고, 기존에 고수하던 방식이 아닌 새로운 금전운을 만드세요.

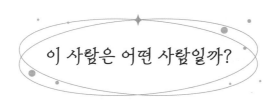

이 사람은 어떤 사람일까?

변화와 모험을 즐기는 사람입니다

대담한 성격으로, 변화와 모험을 즐기는 면이 있습니다. 몸으로 스트레스를 풀면서 육체적인 활동을 주기적으로 하는 사람입니다. 새로운 것, 새로운 만남을 좋아하는 사람이 많습니다. 어떠한 상황에서도 적절하게 대처하고 눈치가 빠른 사람들이 많습니다. 주변 상황이나 인물의 영향을 많이 받기 때문에 스트레스나 심리적 압박감에 민감한 편이고 멘탈 관리에 주의를 기울여야 하는 사람입니다.

조언

변화를 받아들이고, 새로운 도전의 과정으로 삼으세요

변화는 충격으로 다가올 수 있지만 그 충격은 금세 잊혀질 것입니다. 이 과정을 통해 단단하게 고정된 관념과 상식을 새로 만드는 소중한 기회가 될 수 있어요. 내 안에 잠자고 있던 도전의식과 잠재력을 불러일으킬 수도 있습니다. 내 힘으로 제어할 수 없는 변화가 왔을 때, 좌절하지 말고 새로운 도전의 과정으로 삼으세요. 전혀 예상하지 못했던 삶의 새로운 방향을 보게 될 거예요.

THE STAR

별

"밝은 미래와 희망"

))) ○ (((

커다란 별이 하늘에 떠 있습니다. 별은 목적지까지 안내하는 이정표 역할을 합니다. 커다란 별이 떠 있기 때문에 목적지까지의 방향이 명확하고 길도 밝게 비추는 것 같아요. '희망이 보인다'로 해석할 수 있고, '아직은 갈 길이 멀다'라고 해석할 수도 있어요. 주인공의 모습을 보면 가야 할 길이 멀지만 당장 움직이기보다는 물을 붓고 있는 모습이 여유 있어 보입니다. 주인공은 먼 길을 떠나기 전 호수와 땅에 물을 주며 마음을 정화하고 있습니다. 물병의 물을 모두 쏟아붓고 있지만 이 물은 생명의 근원이 되어 자연을 더 풍성하게 만들고, 결국 주인공에게 긍정적으로 돌아오게 될 것입니다.

✦ • ✦ • ✦ 타로카드 속 상징과 의미 ✦ • ✦ • ✦

별
목표, 희망,
밝은 미래, 이정표

나체의 여인
순수함

**물병의 물을 호수와 땅에
붓고 있는 모습**
마음의 정화

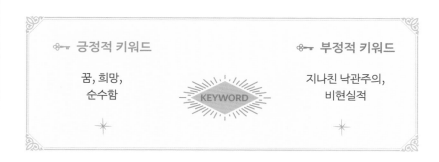

✦━ 긍정적 키워드	✦━ 부정적 키워드
꿈, 희망, 순수함	지나친 낙관주의, 비현실적

KEYWORD

• ✦ • ✦ • 어떻게 리딩할까? • ✦ • ✦ • ✦ •

연애

'희망'이라는 키워드를 연애운에 연결해보세요.

솔로

이상형이 나타납니다

별은 '원하던 목표'로 볼 수 있습니다. 솔로인 분에게 이상형이 등장할 수 있습니다. 별이 밝게 비추고 있기 때문에 두 사람의 관계가 희망적이라고 볼 수 있습니다. 하지만 별과는 거리가 멀죠. 아직은 동경하는 상태라고 볼 수 있습니다. 조급하기보다는 여유를 가지는 것이 필요합니다.

커플

두 사람의 앞을 별빛이 비추고 있습니다

빛나는 별처럼 두 사람의 관계는 긍정적입니다. 두 사람이 하나의 별을 목표로 삼고 있고, 별의 빛이 두 사람을 목적지로 인도하고 있어요. 다만 아직 가야 할 길이 남아 있습니다. 서로 순수한 상태로 감정을 표현하는 것이 필요합니다.

재회

희망이 있으니 여유를 가지세요

어두운 밤하늘 속 커다란 별은 '희망'을 말합니다. 상대방의 마음에도 긍정의 마음이 있다고 보입니다. 두 사람의 관계에도 희망이 있다고 볼 수 있어요. 하지만 별은 멀리 떨어져 있죠. 당장 조급하게 행동하기보다 마음의 여유를 가지는 것이 필요합니다. 주어진 일상에 집중하면서 자연스럽게 만남으로 가는 상황을 만들어보세요.

일, 학업

별까지 가는 여정과
호수에 물을 붓는
여인의 모습을
떠올려보세요.

목표까지 도달할 길과 희망이 보이네요

장기적인 관점에서 여유를 가지고 지금 할 수 있는 일에 집중해야 합니다. 호수와 땅에 물을 부어 자연의 순환을 만드는 여인의 모습은 '당장의 이익을 계산하지 않는다'는 의미로 볼 수 있어요. '내가 하는 일이 궁극적으로 긍정적인 영향을 가져다줄 것'이라는 마음가짐도 필요합니다.

금전

타로
묘묘's
TIP

'빛나는 별을 향해
가는 길'을 금전운과
연결해보세요.

장기적인 목표와 길이 보이기 시작합니다

커다란 별이 떴습니다. 어느 방향으로 금전을 운영해야 하는지 목표가 보이고 가야 할 길이 명확하게 생길 것 같아요. 긍정적인 방향으로 가고 있으니 조바심을 내지 않아도 됩니다. 당장의 이익보다는 장기적인 관점으로 접근한다면 분명 커다란 재물을 얻게 될 것입니다.

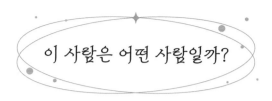

이 사람은 어떤 사람일까?

자신만의 꿈과 목표를 가진 사람입니다

꿈과 희망을 품은 낙관적이고 순수한 사람입니다. 긍정적인 성향을 타고난 이 사람은 시간이 걸리더라도 자신의 꿈을 펼치고자 하는 의지가 강해요. 고난이 있어도 언젠가는 이룰 수 있을 것이라는 강한 신념을 가지고 있기 때문에 정서가 안정적이며 주변 상황에 휘둘리지 않는 편이죠. 자신만의 목표를 뚜렷하게 가지고 있기 때문에 유행하는 것에도 크게 휘둘리지 않으며, 타인의 평가에 흔들리지 않는 사람입니다.

조언

어둠 속에서 더욱 반짝이는 별처럼 희망을 놓지 마세요

어둠 속에서 별은 더욱 빛납니다. 찬란하게 빛나는 별빛은 어둠 속에서도 사라지지 않는 희망을 보여줍니다. 주어진 상황과 여건이 나를 힘들게 만들고, 마치 어둠 속에 갇힌 것처럼 느껴질지라도, 오히려 그때 내가 가야 할 길을 또렷하게 볼 수 있다는 사실을 기억하세요. 주위를 둘러보면 분명 내가 가야 할 길을 비추고 있는 별을 발견하게 될 거예요. 희망을 놓지 말고 앞으로 나아가세요.

THE MOON

달

"갈등, 그리고 의뭉스러운 비밀"

ꠛꠛ ○ ꠛꠛ

수심이 가득한 표정을 한 달의 모습이 보입니다. 눈을 감고 입을 굳게
다문 모습을 보면 말 못할 비밀이 있어 보입니다. 달 아래에서는 개와
늑대가 짖고 있습니다. 개는 이성적인 의식, 늑대는 야성적인 무의식
을 상징하기 때문에 이성과 야성, 의식과 무의식이 부딪히는 상황이라
고 볼 수 있습니다. 갈등이 심화되는 상황을 나타냅니다. 하지만 달은
눈을 감은 채 입을 꾹 닫고 개와 늑대를 외면하고 있어요. 답답하고 불
안한 감정이 가득한 카드입니다.

타로카드 속 상징과 의미

눈과 입을 닫고 있는 달
비밀, 외면

개
이성적인 의식

늑대
야성적인 무의식

⚷ **긍정적 키워드**

비밀, 침묵

KEYWORD

⚷ **부정적 키워드**

고민, 갈등, 불안,
의심, 혼란,
답답함

어떻게 리딩할까?

연애

타로
묘묘's
TIP

'말할 수 없는 비밀' '갈등'이라는 키워드를 연애운에 적용해보세요.

솔로

감정을 드러낼 수 없는 사랑에 빠집니다

말할 수 없는 비밀스러운 관계에 빠지게 될 것입니다. 드러낼 수 없는 짝사랑, 불륜, 삼각관계에 빠질 수 있습니다. 또는 갈등을 피할 수 없는 관계가 생긴다는 것을 의미하기도 해요. 마음은 가지만 쉽게 움직일 수 없고, 쉽게 말할 수 없다 보니 마음속에 근심과 걱정이 가득한 상태입니다.

커플

갈등이 있지만 외면하고 싶은 상태입니다

두 사람이 갈등 상황에 놓여 있는 모습입니다. 말 못할 비밀이 있거나, 누군가 거짓말을 하는 상황일 수 있습니다. 마음속으로 불만을 품고 있는 모습입니다. 갈등이나 문제 상황이 있지만, 당장 직면하고 해결하기보다 외면하고 싶은 마음이 큰 상태입니다. 사연이 있는 사랑, 불륜 상황을 암시하기도 합니다.

재회

상대에게서 아무런 반응이 없습니다

재회나 연락의 가능성이 낮습니다. 상대방은 속내를 드러내지 않고, 고민이 많아 보입니다. 개와 늑대가 아무리 짖어도 반응하지 않는 달의 모습처럼 상대방의 움직임이 없을 것이며 마음을 알기도 어려울 것으로 보이네요.

일, 학업

답답한 상황에 빠지게 됩니다

지금 갈등 상황에 놓였거나 불안한 상태로 보입니다. 누군가에게 털어놓지 못한 채 답답한 마음만 가득한 상태가 이어질 수 있어요. 미래가 막연하게 느껴지거나, 커리어에 대한 신념이 흔들릴 수 있어요. 다른 사람에 의한 거짓과 함정에 빠지거나 인간관계에서 오해가 생길 수 있어요. 하지만 괴롭더라도 현실을 직면할 때 문제의 해결 방법을 찾을 수 있다는 것을 명심하세요.

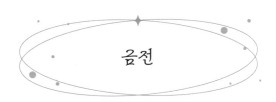

금전

금전적으로 답답한 상황이 지속됩니다

답답한 상황이 지속됩니다. 금전운의 흐름이 당분간 막힌 상태입니다. 앞으로도 쉽게 해결되기는 어려워 보여요. 여러 지출이 발생하며 금전을 어떻게 운영해야 할지 고민이 많아지겠네요. 예상치 못한 지출이 발생할 수 있습니다. 반면 나는 좋지 못한 이 상황을 외면하고 방치하는 모습입니다. 걱정만 하기보다 상황을 제대로 파악하고 할 수 있는 것부터 하나씩 해나가야 합니다.

이 사람은 어떤 사람일까?

타로
묘묘's
TIP

입을 굳게
다물고 있는
달의 모습을
떠올려보세요.

속을 잘 드러내지 않으며 입이 무거운 사람입니다

자신만의 독특한 세계에 몰입하거나 비밀스러운 면을
가진 사람입니다. 자신의 의견을 쉽게 드러내지 않는
사람입니다. 책에 몰두하거나 사색에 빠지는 경향도
있어요. 자신의 생각을 잘 표현하지 않기 때문에 주변
사람들은 답답하다고 느낄 수 있습니다. 입이 무겁기
때문에 비밀을 잘 털어놓고 상담할 수 있는 신뢰할 수
있는 사람이기도 합니다.

조언

타로
묘묘's
TIP

눈을 감고
입을 다문 달에게
조언을 한다고
가정해보세요.

문제를 외면하지 마세요

달 카드는 나에게 문제를 외면하고 있는 것은 아닌지
묻고 있습니다. 문제 상황을 마주하는 것이 괴롭고 에
너지가 많이 쓰인다고 생각해서 현실에 안주하고 있
을 수도 있고, 또는 은연중에 그 상황을 즐기고 있을
수도 있어요. 그럴수록 결국 상황은 더욱 안 좋아질 수
있습니다. 현실을 냉정하게 바라보고 할 수 있는 것부
터 하나씩 해결해보세요.

THE SUN

THE SUN

태양

"빛나는 성공과 긍정적 에너지"

)) ○ ((

빛나는 태양 아래에서 어린아이가 백마를 타고 있습니다. 붉은 깃발을 든 채 웃고 있는 모습이 해맑아 보입니다. 이미지 전반적으로 태양의 열기가 가득하고, 행복한 에너지가 강한 카드입니다. 활력이 넘치며 긍정의 기운이 많이 느껴집니다. 빛나는 태양 아래 모든 것이 숨김없이 드러나고 있습니다. 잠재력과 의욕이 넘치기 때문에 '성공'과 '성장'을 예상할 수 있어요. 태양을 등에 업은 아이가 세상을 향해 말을 타고 달리니 두려움이 없습니다. 뜻대로 이루어지고, 그것을 누릴 자격이 충분하다는 것을 카드에서 읽을 수 있어요. 시기적으로 최고조에 달하고 노력의 성과가 다가옵니다. 온 세상에 승리의 기운을 드러내니, 부러움을 사게 됩니다.

• ✦ • ✦ • 타로카드 속 상징과 의미 • ✦ • ✦ •

태양
성공과 긍정을
의미

벌거벗은 아이
순수함과 잠재력을
의미

백마
추진력을 상징

붉은 깃발
열정, 승리를 상징

만개한 해바라기
최고의 순간임을
보여줌

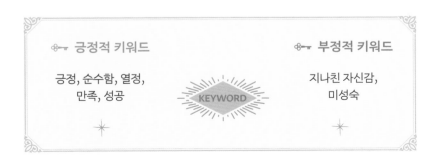

⚷ 긍정적 키워드

긍정, 순수함, 열정,
만족, 성공

KEYWORD

⚷ 부정적 키워드

지나친 자신감,
미성숙

✦ • • ✦ • • 어떻게 리딩할까? • ✦ • • ✦ •

연애

**타로
묘묘's
TIP**

태양 카드는 타로카드 중에서 가장 긍정적인 에너지를
가진 카드입니다.

솔로

곧 새로운 사람이 다가옵니다

곧 솔로 생활을 청산하게 됩니다. 순수한 아이의 모습을 한
새로운 사람이 다가옵니다. 연하의 사람일 가능성도 있네요.
상대방이 먼저 호감을 보이고 적극적으로 다가올 것입니다.
썸이 시작되겠네요. 두 분의 밝은 미래가 기대됩니다. 짝사
랑 상대가 있다면 자연스럽게 가까워질 계기가 오니 걱정할
필요가 없습니다.

커플

두 사람의 긍정적인 미래를 기대할 수 있습니다

관계가 더 단단해지고 새로운 열정과 사랑이 피어납니다. 권
태기에 있었다면, '태양 빛으로 눈이 녹듯' 오해가 사라지고
서로를 향한 애정이 커질 것입니다. 두 사람이 함께 하는 미
래를 긍정적으로 그리게 될 것입니다. 약혼, 결혼, 임신 등 관
계가 한 단계 발전하게 됩니다.

재회

뉴 페이스와의 만남을 기대하세요

'순수한 마음을 가진 새로운 인연이 다가온다'라는 의미로
읽을 수 있어요. 어두웠던 연애사에 새로운 빛이 내리쬐는 모
습입니다. 재회에 대한 기대나 과거의 인연, 혹은 그들의 연
락에서 벗어나세요. 과거의 사람으로부터 받았던 상처를 완
전히 회복할 정도로 빛나는 사랑이 다가올 것입니다.

일, 학업

타로
묘묘's
TIP

태양, 백마,
어린아이의 상징을
커리어와
연결해보세요.

합격, 승진 등 최고의 때가 왔음을 말해줍니다

어둠이 사라지고 태양이 왔습니다. 합격, 승진을 뜻하는 최고의 카드예요. 힘들게 이어오던 학업이나 업무를 성공적으로 마무리할 것입니다. 수험생활이 끝이나게 되며, 시험이나 경쟁 상황에서 사람들을 제치고 발탁되는 운이 강하게 보입니다. 백마를 타고 오는 어린아이를 모두가 바라볼 수 있듯, 주변의 주목을 받게되고 유명세, 명예를 얻게 됩니다. 성공과 성과를 보게될 것이며 만족감이 커질 것입니다.

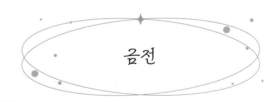

금전

타로
묘묘's
TIP

태양의 에너지와
금전운을
연결해보세요.

최상의 금전운이 다가옵니다

현재 금전 상황이 좋더라도 앞으로 더 좋은 일이 생길수 있을 정도로 금전운이 좋습니다. 직접적으로 금전적 보상을 받는 일이 있거나, 혹은 계약, 약속을 맺게됩니다. 오래 끌고 왔던 계약 문제가 있었다면 조만간성사될 것이니 걱정하지 마세요.

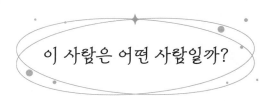

이 사람은 어떤 사람일까?

타로
묘묘's
TIP

어린아이와 태양의
이미지를
떠올려보세요.

순수한 열정, 낙천적인 성격을 가진 사람입니다

백마를 탄 어린아이의 모습처럼 순수하고, 태양의 에
너지를 품은 열정적인 사람입니다. 성공이 보장되어
있고 활력이 넘치는 사람입니다. 타고난 긍정적인 성
향으로 어떠한 어려움도 특유의 유머로 재치 있게 넘
길 수 있습니다. 주위에서 자연스럽게 주목받는 사람,
인기가 많은 사람입니다. 다만 긍정적인 성향과 자신
감이 지나칠 경우 자신이 가진 부, 명예, 사회적인 지
위를 과시하는 경향이 있기도 합니다.

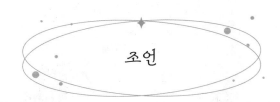

조언

타로
묘묘's
TIP

근심 걱정 없이
순간을 즐기고 있는
어린아이의 모습을
떠올려보세요.

지금 이 순간을 즐기세요

어린아이의 눈으로 세상을 바라보세요. 벌거벗은 아
이의 모습은 세상의 시선이나 욕심, 욕망에 사로잡히
지 않은 상태를 의미합니다. 순수한 마음으로 행복을
찾는다면 가장 가까운 곳에서 발견할 수 있을 거예요.
태양은 나를 밝게 비추고 해바라기는 만개했습니다.
어린아이처럼 이 순간을 즐기세요. 당신은 행복을 누
릴 자격이 있습니다.

JUDGEMENT

심판

"구원의 나팔소리와 부활"

))○((

천사가 구름에 탄 채 나팔을 불고 있습니다. 나팔소리에 관 속의 시체들이 일어난 모습이에요. 천사를 향해 시체들이 두 팔을 벌리고 있는 모습을 보면, '부활을 기다려왔다'라고 볼 수 있습니다. 이 카드는 '기다리고 기다리던 소식이 다가온다'라는 의미를 가진 카드입니다. 카드는 오랜 기다림을 지나 터널의 마지막 구간을 향해 달려가는 장면을 보여주고 있어요. 다시는 빛을 보지 못할 줄 알았는데 해방이 찾아왔습니다. 고난과 어둠 속에 있던 시간도 이제 끝입니다. 지나간 어려움은 이제 찰나의 기억이 되고 고생도 추억이 될 겁니다. 기다려본 사람만이 기다림의 아름다움을 알겠죠. 인내를 해본 사람만이 인내의 열매를 가질 자격이 있습니다. 그냥 주어지는 좋은 소식이 아니라 '기다리던 좋은 소식'은 더욱 귀한 것이겠죠.

• ✦ • ✦ • 타로카드 속 상징과 의미 • ✦ • ✦ •

나팔을 불고 있는 천사
구원, 좋은 소식,
기다려온 소식을 상징

붉은 십자가가 새겨진 깃발
해방, 부활을 상징

관 속에서 일어나는 시체
구원의 대상을 뜻함

KEYWORD

긍정적 키워드

부활, 구원,
해방, 보상

부정적 키워드

오래 기다리고
참아야 함

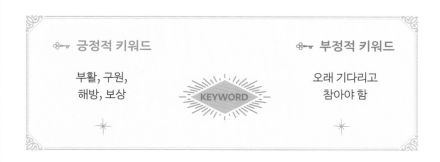

어떻게 리딩할까?

연애

솔로

오랫동안 기다려왔던 사랑이 시작됩니다

사랑에 대한 관념이 완전히 전환될 것입니다. 짝사랑해온 상대와 가까워지는 계기, 가능하지 않을 것 같던 사랑이 시작됩니다. 오래도록 바라왔던 사랑이 시작될 거예요. 이제까지 소중히 간직해온 마음을 짝사랑 상대나 이상형에게 진심을 다해 고백하세요. 긍정적인 답을 받게 될 것입니다.

커플

오래도록 풀리지 않았던 갈등이 해소됩니다

가로막던 장애물이나 갈등 요인이 곧 해결됩니다. 두 사람이 기다려온 것이 있다면 긍정적인 소식을 듣게 될 거예요. 예를 들어 결혼이나 임신 등 두 사람이 세운 목표에 있어서 걸림돌이 있었다면 어려움이 해결될 것입니다. 힘든 상황, 역경을 함께 극복하며 두 사람의 관계는 더욱 돈독해지고 단단해질 것입니다.

재회

사랑이 부활하게 됩니다

심판 카드는 재회운에서 최상의 가능성을 가진 카드입니다. '완전히 끝이라고 생각한 관계'가 다시 시작되는 계기가 곧 있을 거예요. 끝났다고 생각한 과거가 부활하여 운명적인 사랑으로 발전할 것입니다. 한동안 연락이 없었던 헤어진 연인이 적극적으로 다가와 두 사람의 재회로 연결될 거예요.

일, 학업

타로
묘묘's
TIP

천사가 부활의
소식을 전하는
상황을 커리어에
연결해보세요.

포기하려 했던 일에서 긍정의 소식이 들려옵니다

떨어졌다고 생각한 곳에서 추가 합격 소식이 들려오거나, 불가능하다고 생각했던 계약이 갑자기 긍정적인 방향으로 진행될 것입니다. 희망이 없다고 생각했던 분야, 업계, 회사, 기관으로부터 좋은 소식을 듣게될 수 있어요. '가능성이 낮다. 장애물이 너무 크다'라고 생각한 일을 포기하지 않을 때 성공이 다가올 것입니다.

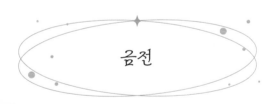

금전

타로
묘묘's
TIP

죽은 줄 알았던 시체가
부활하는 장면을
금전운에
연결해보세요.

막혔던 금전의 흐름에 물꼬가 트입니다

오랫동안 손실을 보았거나, 투자 회수를 포기했던 곳에서 긍정적인 소식이 들려옵니다. 한동안 '어두운 터널' 속에 있는 것만 같던 사업이 갑작스럽게 빛을 보게 되고, 금전의 흐름이 원활하게 변합니다. 잘 안 될 것 같다고 생각했던 사업이 잘되기 시작하거나, 장학금 지원 프로그램에 합격하는 등 긍정적인 소식이 있을 것 같아요.

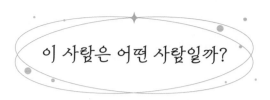

이 사람은 어떤 사람일까?

타로
묘묘's
TIP

관 속에 갇혀 있던
시체가 부활하는 장면을
떠올려보세요.

칠전팔기의 근성을 가진 사람입니다

'어두운 터널'을 묵묵히 걸어가 끝내 빛을 맞이하는 힘을 가진 사람입니다. 힘에 부칠 수 있는 상황이더라도 남다른 근성으로 반드시 성공을 이뤄내는 사람이죠. '자수성가'형으로, 끝까지 장인정신을 발휘하는 집념으로 끝내 승리를 이뤄내는 끈기가 있죠. '일곱 번 넘어져도 여덟 번 일어나는' 강한 투지를 가지고 있으며, '부활'의 기운이 있기 때문에 고난과 역경마저 즐길 수 있는 내공을 가진 사람입니다.

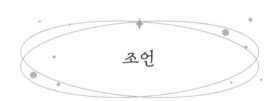

조언

타로
묘묘's
TIP

죽었다고 생각한
시체가 구원받는 모습을
연결해보세요.

희망을 품고 끝까지 최선을 다하세요

'끝났다. 더 이상은 없다'라고 생각한 일에 '구원'이 찾아옵니다. 갈망하고 기다린 것이 있다면 그간의 힘들었던 순간이 잊혀질 만큼 구원과 부활의 순간이 찾아올 거예요. 그러나 부활의 소식은 저절로 다가오는 것이 아니에요. 오랜 시간 기다리며 인내하고 노력합니다. '끝날 때까지 끝난 것이 아니다'라는 말을 기억하며 최선을 다해야 합니다.

THE WORLD

월드

"삶의 한 주기의 완성"

☽☽○☾☾

커다란 월계관에 둘러싸인 여신의 모습은 마치 승리를 만끽하는 것처럼 보입니다. 월계관 밖으로 네 모퉁이에서 천사, 황소, 사자, 독수리가 보호해주고 있으니 평화를 충분히 누릴 수 있겠군요. 월계관의 둥근 모양은 '완성'을 의미합니다. 이 원이 자궁으로 읽히기도 해, 때로는 임신, 출산의 가능성을 의미하는 카드로 보기도 합니다. 월계관과 주위의 4개의 상징은 10번 '운명의 수레바퀴' 카드에서와 같은 구도를 보여주고 있습니다. '운명의 수레바퀴가 굴러서 완성을 이루었다'라고 볼 수 있어요. '운명의 수레바퀴' 카드에서 보이던 천사, 황소, 사자, 독수리는 이제 모두 성장한 모습입니다. 메이저 카드 여정의 끝, 21번 '월드' 카드는 완성을 말하면서, 동시에 무언가를 달성하기 위해서는 엄청난 노력이 필요하다는 메시지도 가지고 있어요. '기나긴 시간의 끝에서 이루어낸 완성'인 만큼, '결과도 중요하지만 그 과정 하나하나 얼마나 공을 들였는지, 월드 카드까지 오는 동안 얼마나 고생이 많았는지 기억하라'라는 의미도 가지고 있습니다.

✦ ✦ ✦ 타로카드 속 상징과 의미 ✦ ✦ ✦

월계관
완성, 승리, 성공을 상징

여신
자유로운 상태를 의미

**성장을 마친 천사,
황소, 사자, 독수리**
봄, 여름, 가을, 겨울의 완성.
성숙한 단계를 의미

⚷ **긍정적 키워드**

완성, 성공,
달성, 승리

KEYWORD

⚷ **부정적 키워드**

현 상태에 안주함,
과한 자신감

• ✦ • ✦ • 어떻게 리딩할까? • ✦ • ✦ •

연애

타로 묘묘's TIP

하나의 단계를 완성하는 모습을 연애운에 연결해보세요.

솔로

성숙한 사랑이 시작됩니다

인생의 반려자, 소울메이트가 될 사람을 만나게 됩니다. 그동안 여러 사랑과 실패, 헤어짐을 겪었다면 이제 좋은 사람을 만나게 될 거예요. '완전히 통하는 사람'과 만나는 주기에 들어섭니다. 곧 다가오는 사람을 통해 '충만하고 완전한 사랑'을 경험하게 될 것입니다.

커플

사랑의 결실을 맺게 됩니다

두 사람은 그간 사랑의 여러 과정을 겪은 것 같네요. 두 사람은 사랑의 결실을 이루게 되며, 많은 사람의 축복 가운데 결혼에 이르거나 임신을 하게 될 수 있습니다. 만약 짧게 연애한 사이라도 두 사람은 완성 단계에 이를 수 있는 좋은 궁합을 보여주고 있습니다.

재회

더는 남아 있는 것이 없는 관계

월드 카드는 메이저 카드의 가장 마지막 카드죠. 이 카드는 가장 마지막 단계를 의미합니다. 두 분의 관계는 더 이상 남아 있는 것이 없는, 마지막 단계까지 왔습니다. 이 관계의 부활, 재회의 가능성은 없다고 보입니다. 그 사람에 대한 미련을 버리고 새로운 관계를 시작해야 해요.

일, 학업

타로
묘묘's
TIP

'완성'은 새로운
시작으로 연결된다는
점을 커리어에
연결해보세요.

다음 단계를 시작할 시기

현재 하고 있는 공부나 업무에서 능숙한 단계에 들어
섰다고 보입니다. 그간 우여곡절을 겪으며 많은 고생
을 해왔을 텐데 이제 모든 것이 마무리되고 완성된다
는 것을 의미합니다. 노력과 고생에 대한 보상을 받게
되며 진학, 승진의 가능성이 있습니다. 인정받는 위치,
책임 있는 자리에 올라서게 됩니다. 이제 다음 단계의
시작을 바라봐야 할 때입니다.

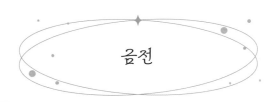

금전

타로
묘묘's
TIP

'완성' '성공'
'승리'라는 키워드를
금전운에
적용해보세요.

목표를 달성하게 됩니다

금전적인 목표가 달성되고 완성 단계에 이르게 됩니
다. 현재 무언가를 계획하고 준비하는 단계에 있다면
과감히 추진하세요. 실행에 옮겼을 때 긍정적인 결과
로 이어질 가능성이 높습니다. 과거에는 시간과 노력
을 투자했다면 이제는 보상받을 때라고 카드는 말하
고 있습니다. 추진해온 프로젝트나 사업에서 결실을
맺게 됩니다.

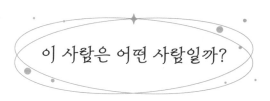

이 사람은 어떤 사람일까?

타로
묘묘's
TIP

'완성' '성공'이라는
키워드와
연결해보세요.

다방면에 재능이 있지만 틀에 갇히기 쉬운 타입

외모, 성격, 능력이 모두 빠지지 않고 완벽한 사람입니다. 성공과 성취의 야망이 강한 사람이며 명예, 명망이 높은 사람으로 보이네요. 유명해질 수 있는 잠재력도 강하게 보입니다. 목표의식이 뚜렷하여 자신이 하고자 하는 일, 계획하는 일을 최선을 다해 이뤄냅니다. 하지만 지나치게 자아가 확고한 탓에 나르시시스트일 가능성도 높네요. '내가 가진 생각이 옳다, 완벽하다'라는 생각에 갇힐 수 있습니다.

조언

타로
묘묘's
TIP

커다란 월계관에
둘러싸인 여신의
모습을 나 자신에게
대입해보세요.

현재 상황에 안주하지 말고 새롭게 출발해야 합니다

현재 하고 있는 일이 익숙해지고 안정된 상황인가요? 하지만 카드는 '타로카드의 마지막 완성 단계인 21번 월드 카드까지 왔다면, 다시 0번 바보 카드로의 새로운 여정을 시작해야 한다'고 말하고 있습니다. '자신의 테두리 안에 있다면, 더 큰 성장을 할 수 없다'는 이야기로도 볼 수 있습니다. 월계관은 알과 같습니다. 이제는 알을 깨고 세상에 나와 다시 새롭게 출발하고 성장해야 합니다.

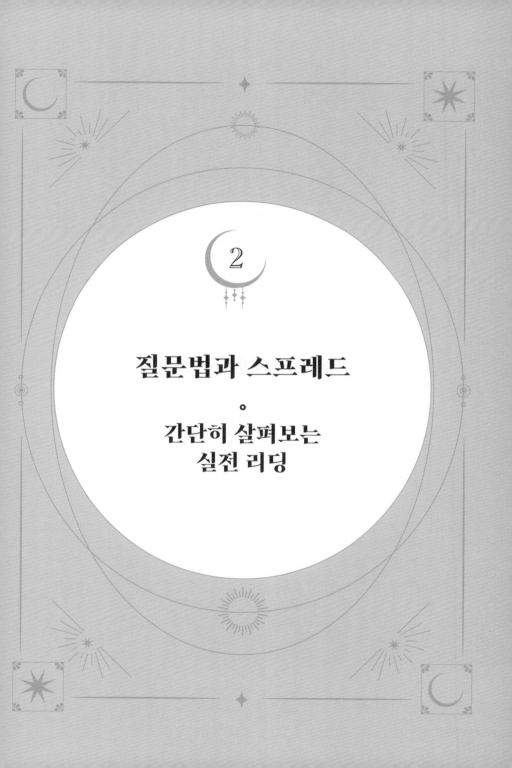

2

질문법과 스프레드

간단히 살펴보는
실전 리딩

타로 점에 적합한 질문법은 따로 있습니다.
타로 점을 보기에 적합하도록
질문법 자체를 바로잡는 것으로 시작해,
메이저 카드만으로도 쉽게 리딩할 수 있는
스프레드 방법을 상세히 알려드립니다.

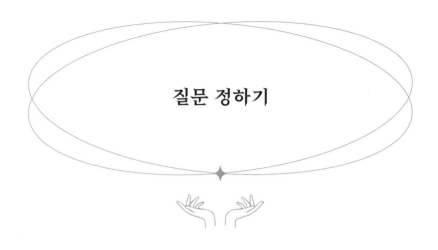

질문 정하기

✦ 질문 정하는 것이 왜 중요할까? ✦

타로카드는 어떤 질문에도 답을 보여줄 준비가 되어 있어요. 하지만 우리는 내가 진심으로 원하는 것이 무엇인지, 숨겨진 문제점은 무엇인지를 정확히 알 수 없을 때도 있습니다.

특히 다른 사람에 관한 질문으로 타로카드를 뽑을 때는 더욱 그렇습니다. 질문을 뚜렷하게 정하지 않은 채 무작정 카드를 뽑으면 '카드가 무엇을 말하는지'를 읽어내기 어려워요. 그 사람의 '속마음'이 궁금한 것인지, 그 사람의 '현재 상황'이 알고 싶은 것인지, '앞으로 두 사람의 관계가 어떻게 될지' '어떤 조언이 필요할지'와 같이 내가 타로카드로 점치고 싶은 내용에 대해 구체적이고 명확한 질문을 미리 정해둬야 합니다. 카드를 뽑기 전에 질문을 뚜렷이 정해두지 않는다면 그저 내가 원하는 방향으로 읽게 될 거예요.

따라서 '타로카드에게 무엇을 질문할지, 어떤 목적과 의도인지를 잘 알고 질문을 정하는 것이 매우 중요합니다.

보통 타로 점을 보려 할 때는 고민되는 상황이 있는 경우가 많죠. 속마음이 궁금한 상대방이 있거나, 알 수 없는 미래에 대한 걱정, 의사결정에 도움을 받고 싶은 상황 등 우리는 특정한 목적을 가지고 타로카드를 뽑고 해석하니까요.

☦ 셀프 리딩을 할 때에도 질문을 정확하게 정해야 할까? ☦

셀프 리딩을 할 때에는 질문을 정확하게 정할 필요가 없다고 보는 사람들도 있습니다. 하지만 셀프 리딩을 할 때에도 명확히 질문을 만든 뒤에 카드를 뽑고 해석하는 것이 좋습니다.

먼저 질문을 명확히 만들기 위해 내가 정말로 무엇을 원하는지를 조금 더 깊이 들여다볼 수 있어요. 이 훈련을 통해 직관이 향상될 수 있다는 장점도 있습니다.

예를 들어볼게요. 단순히 '잘 될까? 잘 되지 않을까?'라고 추상적으로 질문하기보다, '잘 되었으면 좋겠는데 어떻게 하면 잘 될 수 있을지 카드에게 물어보자' '잘 되었으면 좋겠는데 왜 나는 지금 자신감이 부족할까?' 등으로 질문을 구체적으로 설정하고 카드를 뽑아보세요. 이렇게 하면 뽑은 카드의 메시지를 더욱 잘 읽을 수 있을 뿐만 아니라, 그 메시지를 나의 삶에 어떻게 적용할 수 있을지도 잘 가늠할 수 있습니다. 또 가끔은 영감이 떠오르는 때도 있어요. '지금 이 질문을 하는 상황에서 그 카드가 떠오르네' 하는 식으로요.

다른 사람에게 타로 점을 봐주기 위해 카드를 뽑을 때도 역시, 질문을 구체적으로 정하는 연습을 해야 합니다. 상담을 요청한 사람이 카드를 통해 얻고자 하는 바를 뾰족하게 만드는 과정이 필요합니다. 잘 가다듬어진 구체적인 질문은 더욱 정확한 리딩으로 이어지게 됩니다.

질문을 가다듬고 명확하게 설정하는 연습을 충분히 하고 나면, 내담자의 의도와 목적을 정확히 읽어낼 수 있어요.

⸭ 질문 정하는 방법 ⸭

단순히 'YES or NO'로 질문을 정하기보다는 'YES라면 좋겠는데 어떻게 하면 그렇게 될 수 있을까?'와 같이 구체적으로 질문해보세요. 만약 미래 상황을 점치고 싶다면 기한을 정해두고 질문하는 것이 좋습니다. 아래 예시문을 통해 더 자세히 살펴볼게요.

1

"연애운이 궁금해" ≫→ BAD

☞ 지금 짝사랑하는 사람이 있는데, 그 사람과 어떻게 될까? GOOD

☞ 지금 나는 솔로인데, 앞으로 6개월 동안 연애운이 어떨까? GOOD

☞ 곧 소개팅이 있는데 어떻게 하면 잘 될 수 있을까? GOOD

2

"창업을 할까, 하지 말까?" ≫→ BAD

☞ 창업을 하려고 하는데 주의해야 할 점이 뭘까? GOOD

☞ 창업을 하려고 하는데 앞으로 6개월 동안 사업운이 어떨까? GOOD

☞ 나는 왜 창업을 하고 싶을까? 어떤 욕구를 가지고 있는 걸까? GOOD

3

"헤어진 그 사람이 궁금해" ➠➔ BAD

☞ 헤어진 그 사람이 지금 나를 어떻게 생각할까? GOOD

☞ 헤어진 그 사람은 요즘 어떻게 지내고 있을까? GOOD

☞ 6개월 내에 헤어진 그 사람과 재회할 가능성이 있을까? GOOD

⁑ 상담을 통해 질문 방향 설정하기 ⁑

분명히 고민되는 상황은 있지만 그 답을 얻기 위해 어떻게 질문해야 할지 막막해하는 분들이 많습니다. 이런 경우 아래와 같이 상담을 통해 질문 방향을 설정해나가는 것을 추천합니다.

상황: 궁금한 사람이 있다.

내담자 저는 연애는 실패인 것 같아요.

상담자 '실패'라는 감정을 느끼시는 것을 보면 최근 안 좋은 일이 있으셨나 봐요. 어떤 일이 있었나요?

내담자 잘 만나고 있다고 생각했는데, 남자친구가 알고 보니 바람을 피우고 있었어요. 제가 화를 냈더니 적반하장으로 헤어지자고 하더라고요.

상담자 배신감이 상당하셨겠어요. 지금은 마음 정리가 좀 되셨나요?

내담자 아뇨, 아직도 생각만 하면 화가 나요. 그런데 그 사람의 SNS를 보면 잘 지내는 것 같더라고요.

➤ 여기서 내담자는 상대방의 근황에 대해 이미 알고 있기 때문에, 상대방의 근황을 묻는 질문은 의미가 없습니다.

상담자 그 사람이 잘 지낸다고 생각하니 더 화가 나는 상황이겠네요. 내담 자분은 어떠세요? 그 사람과 다시 만나고 싶은 생각이 있으신가요?

내담자 그렇지는 않아요. 오히려 제가 행복하게 잘 지내는 모습을 보여주고 싶어요.

➤ 이 경우, 내담자는 상대방의 속마음이 궁금한 상황은 아니라고 볼 수 있습니다. 상대방과 관계 없이 내담자 본인의 미래를 위한 방향으로 상담 방향을 설정하는 것이 좋습니다.

상담자 그래요. 그럼 새로운 사랑을 시작해서 행복한 모습을 보여주는 방향 이 좋겠네요. 앞으로 나타날 새로운 사람에 대해 알아보는 것이 어 떨까요?

내담자 하지만 지금 당장은 누구를 만날 상황이 아닌 것 같아요.

➤ 특정한 사람과의 연애운보다는, 기한을 정해두고 연애운을 보는 게 좋을 것 같네요. 예를 들어 '앞으로 3개월 동안의 연애운'을 보는 방향으로 설정해봅시다.

상담자 당장은 연애할 상황이 보이지 않는다고 생각되어도, 사람 일은 알 수 없는 거예요. 지금부터 6개월 동안 어떻게 하면 솔로를 벗어날 수 있을지 카드를 뽑아보면 어떨까요?

내담자 네, 그게 좋겠어요.

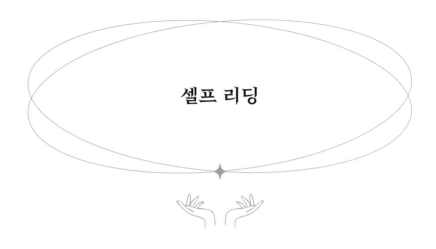

셀프 리딩

매일 타로카드를 뽑아보면서 셀프 리딩 연습을 하겠다고 당차게 마음을 먹은 뒤, 막상 카드를 뽑을 때 일단 아무 카드나 뽑아보자는 식으로 별 생각 없이 카드를 뽑는 분들도 많을 겁니다. 갑자기 머릿속에 스쳐지나가는 생각으로 '예전에 만났던 그 사람의 속마음은 어떨까?'라는 질문을 하거나, '나는 미래에 어떻게 살게 될까?'라는 모호한 질문을 던지며 카드를 뽑는 경우도 많을 거예요.

하지만 이렇게 애매한 상태로 카드를 뽑으면 리딩 역시 모호하게 흘러갑니다. 내가 상대방의 속마음이 궁금해서 뽑은 것인지, 나의 마음 상태를 읽고 있던 것이었는지 헷갈리면서 리딩하는 관점도 뒤섞이게 됩니다. 좋은 이미지의 카드가 등장하면 기분이 좋고, 어두운 배경의 카드가 나오면 갑자기 마음이 불안해지면서 없던 일로 만들고 싶어지는 등 1차원적인 반응을 하게 되죠. 따라서 마음 상태를 차분히 하고 질문을 정리한 다음, 질문을 적어둔 후에 카드를 뽑는 것이 좋습니다.

셀프 리딩을 할 때는 먼저 질문을 적고, 뽑은 카드가 무엇인지 잘 적어둔 뒤 그에 대한 자신만의 해석을 함께 적어두세요. 셀프 리딩은 실제로 사건이 일어난 후에 스스로 피드백을 하는 것이 중요한데, 그러기 위해서도 꼭 필요한 과정입니다.

⁜ 타로 리딩 시작하기 - 원 카드 셀프 리딩 ⁜

타로 리딩을 잘 할 수 있는 유일한 방법은 타로카드와 자주 만나는 것입니다. 타로 리딩은 매일 꾸준히 연습하며 단련시켜야 한다는 점에서 운동과 비슷합니다. 그럼 이제부터 카드와 더 빨리 친해지는 법을 알려드리겠습니다.

타로카드의 키워드를 모두 숙지하는 것도 쉽지 않은 여정이지만, 랜덤으로 뽑혀져 나온 카드를 어떻게 바로 해석해나가야 할지 심리적인 압박감이 드는 것은 당연합니다. 타로를 해석하고 상담할 때 정말 중요한 스토리텔링 능력과 상담을 잘 하기 위한 순발력을 동시에 키울 수 있는 '원 카드 셀프 리딩'에 대해 설명하겠습니다.

원 카드 셀프 리딩이란 말 그대로 '한 장으로 보는 셀프 타로'입니다. 질문을 던지고 카드를 한 장 뽑아 스스로 해석하는 과정을 말합니다. 이 과정을 통해 가장 먼저 질문 정하는 방법을 훈련할 수 있고, 단 한 장의 타로카드만으로도 질문에 대한 카드의 메시지를 끌어내는 방법을 훈련할 수 있습니다. 이 훈련이 안정적으로 진행되면, 그다음으로 보조카드를 뽑아 스토리텔링을 확장할 수 있습니다.

✦ 셀프 리딩의 시작, 질문 만들기 ✦

첫째, 무엇에 대해 묻고 싶은지 명확히 파악해야 합니다.

우리는 주로 미래에 대한 고민, 예측할 수 없는 상황에 대한 불안으로 인해 타로카드를 찾게 됩니다. 왠지 마음이 불편하다는 생각이 든다면 '내 마음이 불편한 원인은 일일까? 사랑일까? 인간관계일까?'등으로 좁혀가며 원인을 구체화하는 것이 좋습니다.

만약 문제의 원인이 '연애'라면, 다시 주제를 좁혀가며 구체화해봅시다. 나의 일상의 동선이 좁아서 누군가를 만날 기회가 없어서인지, 주변 인물은 많은데 나의 기준이 높은 것인지, 원하는 상대가 명확히 있는데 상대방이 나의 신호를 알아차리지 못하는 것인지, 그저 연애운이 따라주지 않는 것인지, 다양한 원인 중 세부적인 원인을 명확히 파악하고 질문의 주제를 좁혀보도록 합니다.

'나는 연애가 문제인 것 같아'라고 생각하며 카드를 뽑는 것이 아니라, '나는 누군가를 만날 기회가 없는 것 같다. 어떻게 하면 새로운 사람을 만날 수 있을까?'처럼 질문을 구체적으로 하는 것이 좋습니다. 혹은, '나는 주변 인물은 많은데 나의 기준이 높은 것 같다. 어떻게 하면 좋을까?' '나의 연애운은 몇 월에 가장 좋을까?' 등으로 질문을 명확하게 좁혀봅니다.

둘째, 내가 원하는 방향을 솔직하게 정리해봅니다.

무엇에 대해 묻고 싶은지 명확히 결정했다면, 이제는 내가 바라는 방향성을 생각해봅니다. '내가 원하는 상대가 있는데 상대방이 나의 신호를 알아차리지 못하는 것 같다'가 고민이라면, 그래서 나는 어떻게 하고 싶은지를 솔직하게 정리해보세요. '상대방과 대화를 나눠보고 싶다', '상대방과 친해지고 싶다' '상대방과 썸을 타고 싶다' 등 구체적이고 솔직한 나의 소망을 생각해 봅시다. 가능성 없는 일이라고 생각하지 말고 이 과정을 통해 나의 솔직한 마음을 정리해봅니다. 그러고 나면 상대방에 대한 내 마음이 어떤 것인지도 확고해집니다.

셋째, 행동이나 기간에 범위를 정해두고 질문을 합니다. '1주일 안에' '3개월 안에' 등 기간을 구체적으로 정하는 것이 좋습니다. '타로카드는 미래에 나에게 벌어질 수 있는 가장 높은 가능성, 가장 효율적인 방향'에 대해 이야기해줍니다. 따라서 '상대방에게 다음 주에 말을 걸어보면 어떨까?'라는 구체적인 기한과 행동의 범위를 어느 정도 정해두고 카드를 뽑아보는 것이 좋습니다. 이 연습이 되어야 실제 상담에 들어섰을 때 내담자가 질문을 제대로 던지지 못하는 상황에서 '질문을 가다듬어주는 가지치기' 역할을 제대로 수행할 수 있습니다. 이 과정에서 질문이 추가로 떠오른다면 카드를 더 뽑아서 살펴보는 것도 좋습니다.

이렇게 셀프 리딩을 지속적으로 하다 보면 스스로가 무엇 때문에 고민하고 있는지 문제의 핵심을 정확하게 파악할 수 있습니다. 그러니 추상적이고 모호한 질문과 해석은 피해야 합니다. 예를 들어, 그저 좋은 카드가 나왔다고 '오늘 운세가 좋겠군'이라고 생각하거나, 나쁜 카드가 나왔다고 '다시 뽑으면 그만'이라고 생각하지 않도록 해야 합니다. 셀프 리딩의 기본은 질문과 카드, 해석을 스스로 적어보면서 생각을 구체화하는 데에 있습니다. 이런 과정은 피하고 싶었던 진실을 직면하고, 새로운 관점에서 상황을 바라볼 수 있게 되는 계기가 됩니다.

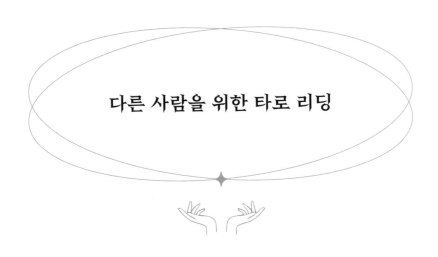

다른 사람을 위한 타로 리딩

셀프 리딩을 통해 기초 훈련을 충분히 마쳤다면, 다른 사람에게 타로 상담을 해줄 수 있도록 시야를 넓혀봅시다. 상담을 시작하기 전에 원 카드 리딩으로 내담자의 마음을 정리해주는 것이 큰 도움이 됩니다.

타로 상담을 시작하자마자 '먼저 카드를 한 장 뽑아보세요'라는 말로 시작해보세요. 이제부터 상담에 들어선다는 신호가 되어 분위기 환기도 되고, 내담자가 마음의 준비를 할 수 있도록 돕기도 합니다.

또 내담자가 현재 어떤 마음 상태로 찾아왔는지 알아볼 수 있는 실마리를 제공합니다. 내담자가 타로 상담을 하러 왔다고 가정하고 예시를 보여드릴게요. 이렇게 내담자의 현재 상황을 이야기하면서 상담을 시작할 수 있겠죠.

"안녕하세요, 상담을 시작하기 전에 내담자 분이 현재 어떤 마음 상태인
지 살펴볼게요. 먼저 카드를 한 장 뽑아보세요."

"무언가 하고 싶다는 열망이 강하신 것 같아요. 세상에 보여주고 싶다거나, 드러내고 싶은 욕망이 강하신데, 생각만큼 잘 되지 않는 부분이 있으신가요?"

타로 상담을 받으러 오는 사람들은 고민이 있어서 오는 경우가 대부분이에요. 치열하고 각박한 세상에서 스트레스나 고민 없이 사는 사람이 많지 않겠지요. 본격적으로 타로 상담에 들어가기 전에 내담자의 현재 마음과 상황을 잘 읽어낼 수 있도록, 카드 한 장을 뽑으면서 상담을 시작해봅시다.

⫲ 복잡한 심경의 내담자를 위한 질문 쪼개기 ⫲

상담을 하다 보면 내담자가 타로카드 앞에서 복잡한 마음을 두서없이 쏟아내게 될 때가 꽤 많습니다. 감정을 여과 없이 쏟아내기보다는 정말 알고 싶은 게 무엇인지 잘 들여다보는 것이 중요합니다. 연애, 금전, 일 등으로 타로점을 칠 커다란 주제를 정했다면, 이제 질문의 내용을 구체적으로 정할 차례입니다. 내담자의 이야기를 잘 듣고 먼저 질문을 쪼개보세요. 그런 뒤 각각의 질문에 대한 답을 주는 방향을 잡으면 효율적인 상담이 될 거예요.

예를 들어볼게요.

> "이제 곧 대학을 졸업하게 되는데, 사기업에 취업을 해야 할지 고민이에요. 부모님은 공무원을 준비하라고 하는데 결정을 못하겠어요. 아니면 그냥 대학원을 진학할까요? 유학은 어떨까요?"

그렇다면 이제부터 질문을 쪼개볼까요?

☞ 취업을 하는 게 좋을지, 공부를 지속하는 게 좋을지.
☞ 공무원과 사기업 중에서 어느 쪽이 좋을지.
☞ 대학원을 진학한다면 국내와 해외 중 어느 쪽이 유리할지.

하나의 질문을 이렇게 나눠볼 수 있습니다. 대화를 통해 질문자가 진짜 원하는 방향을 알아내고, 질문의 개수를 줄여나갈 수 있습니다.

질문의 종류는 크게 5가지로 나눌 수 있습니다.

질문의 종류

• 현재 상황

- 감정
- 문제의 원인
- 미래 전망
- 조언

대부분의 질문은 이 5가지 유형에서 크게 벗어나지 않습니다. 따라서 어느 부분에 중점을 두고 카드를 뽑을지 먼저 정리한 후 구획을 나누는 것이 중요합니다. 내담자가 어느 부분에 대해 카드에게 묻고 싶은지, 어느 부분은 자신이 이미 확고하게 결정한 부분이 있는지 살펴보고, 어떤 방향으로 질문할지 가지를 치는 것이 중요합니다.

이 모든 과정에서 가장 중요한 것은 내담자의 마음 상태를 살피는 것입니다. 내담자가 마음속으로 진짜 원하는 것은 무엇일까요? 충분한 대화를 통해서 내담자의 마음을 정리해주는 것이 필요합니다.

내담자는 현재 혼란스러운 상태입니다. 타로카드를 통해 얻고자 하는 것이 무엇일까요? 무언가 확정적인 결론보다는 스스로에 대한 확신이 아닐까요? 내담자 스스로가 질문을 하면서 자신의 선택에 대한 확신을 심어가도록 정서적으로 지지해주는 것이 중요합니다.

내담자가 원하는 답을 얻기 위해서 한 문장의 질문도 더 쪼개고 쪼개야 하는 경우가 많습니다. 이어서 질문 쪼개기 연습을 더 해보겠습니다.

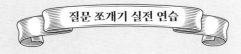

1

"회사에서 이번에 인사 이동이 있을 예정이에요. 저는 원하는 부서가 따로 있는데, 지원을 하는 게 좋을지 아직 결정하지 못했어요. 상사 눈치도 보이고요. 좀 더 준비를 하는 게 좋을까요?"

☞ 부서를 이동하는 게 나을까요, 혹은 현 상태를 유지하는 게 나을까요?

☞ 부서 이동이 가능하다면 시기는 언제쯤 될까요?

☞ 어떤 점을 준비하면 좋을까요?

2

"주변에서 연애 안 하냐는 질문을 자꾸 해요. 남들이 다 한다고 해서 꼭 연애를 해야 하는 걸까요? 전 결혼할 정도의 사람이 아니라면 연애할 필요가 없다는 생각이 들어요."

☞ 결혼할 인연을 만날 수 있을까요?

☞ 그 인연을 언제 만날 수 있을까요?

☞ 그 사람을 만나기 위해서는 어떤 조언이 있을까요?

"가족과의 갈등 때문에 독립을 하기 위해서 이사를 가려고 해요. 이사를 가면 비용 문제도 있고 룸메이트를 구해야 할 것 같아요. 그런데 제가 한 번도 룸메이트가 있었던 적이 없는데 룸메이트를 구하면 잘 지낼 수 있을까요?"

☞ 독립하는 게 좋을까요, 가족과 함께 지내는 게 좋을까요?

☞ 만약 룸메이트를 구한다면 어떨까요?

☞ 룸메이트와 잘 지내기 위해서는 어떻게 해야 할까요?

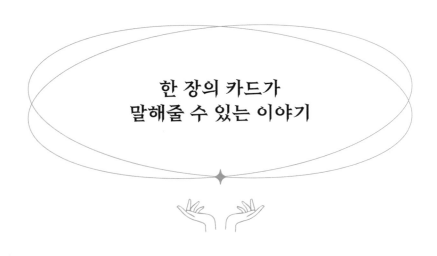

한 장의 카드가
말해줄 수 있는 이야기

타로카드는 길흉화복을 예측하는 도구라기보다는 스스로를 더 잘 들여다보고, 현실을 명확하게 파악하게 하면서 앞으로의 선택에도 도움이 되는 도구입니다. 타로카드는 우리에게 도움을 줄 뿐이고, 행동과 결과는 인간의 몫입니다. 즉, 우리는 운명을 바꿔갈 수 있습니다. 타로카드가 원하는 것은 우리가 주체적이고 적극적으로 인생을 살아나가는 것입니다.

그래서 타로카드는 우리에게 정답을 주는 것을 원하지 않습니다. 그저 '가이드'의 역할을 할 뿐입니다. '그 사람과 어떻게 될까?'라는 질문보다 '그 사람과 어떻게 하면 잘 될 수 있을까?'가 더 현실적인 질문이며, 타로카드가 지향하는 질문입니다. 내가 원하는 것에 대한 목표가 확실하며, 그 목표를 이루기 위한 바람직한 행동의 방향에 대해 조언을 구하는 질문이기 때문입니다.

앞에서 설명한 대로 질문을 잘 만들었다면 단 한 장의 카드만으로도 가장 명확한 답을 얻을 수 있습니다. 간단하게 질문을 정하고 답을 구할 때 원 카드만큼 강력한 힘을 가진 배열법도 없죠. 다만 원 카드 리딩은 '명확한 방향으로 설정된 질문'이 전제되어야 합니다. 질문을 잘 설정하지 않으면 카드의 수많은 상징과 느낌을 놓치기 쉬우며, 카드에 대한 직감이 방향을 잃어 리딩하는 데에 어려움이 있을 수 있어요.

앞에서 질문의 종류를 크게 5가지로 나눌 수 있다고 설명했는데, 그 5가지 질문 모두를 한 장의 카드로 리딩할 수 있습니다.

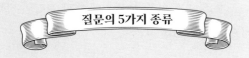

질문의 5가지 종류

1. 현재 상황

내가 알지 못하는 숨겨진 나의 현실을 읽어낼 수 있습니다. '알고 보니 이런 것이 있었구나', '카드는 내 상황을 이렇게 보고 있구나'라고도 해석할 수 있어요.

2. 감정

'나는 어떤 욕구가 있을까?' 숨겨진 나의 마음을 들여다볼 수 있습니다. '그 사람은 나를 어떻게 생각할까?'와 같은 속마음도 원 카드로 읽어낼 수 있습니다.

3. 문제의 원인

원하는 것을 이룰 수 없게 만드는 장애물이나, 드러나지 않은 갈등의 원인을 읽어낼 수 있습니다. 원 카드로 예상외의 인물과 외부 요소를 파악할 수 있어요.

4. 미래 전망

'현재가 변화없이 이어진다면, 어떤 미래가 올까?'라는 미래 경향을 읽어볼 수 있습니다. 아무도 알 수 없는 미래지만, 그 안에 숨겨진 패턴을 읽어낼 수 있죠.

5. 조언

바라는 미래를 위해 필요한 새로운 관점, 원하는 것을 이루기 위한 도움말을 들을 수 있습니다. '이 부분에서 더 힘을 내봐야겠다'라고 격려할 수 있고, '이 부분은 조심해야겠다'라고 조언할 수 있어요.

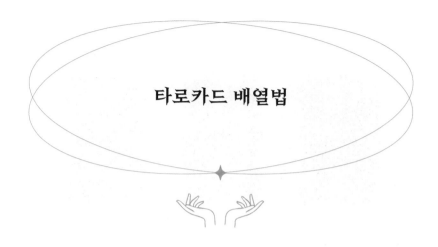

타로카드 배열법

　타로카드 해석에서 가장 대중적으로 쓰이는 배열법은 3장의 카드를 무작위로 뽑아서 배열하는 '쓰리 카드 배열법'과 '양자택일 배열법'입니다. 쓰리 카드 배열법은 다양한 주제에 맞춰서 사용할 수 있습니다. 기승전결의 흐름에 맞춰 읽을 수 있기 때문에 인과관계, 공통점 등을 읽어낼 수 있다는 장점이 있습니다. 양자택일 배열법은 두 가지의 선택지 중 하나를 비교해 선택하는 방법입니다. 주로 내담자가 어떤 선택을 내려야 할 때 사용합니다.

✝ 쓰리 카드 배열법 ✝

쓰리 카드 배열법은 하나의 스토리를 만들어가는 가장 기본적이고 대표적인 방식이며, 대부분의 실전 상담에서도 원 카드 리딩과 쓰리 카드 배열을 가장 많이 사용하기 때문에 가장 많이 연습해야 하는 배열법입니다.

쓰리 카드 배열법

1

과거   현재   미래

과거: 과거로부터 어떤 일이 있었는지, 이 일이 내담자에게 이제까지 어떤 영향력을 발휘했는지 알려주는 카드입니다.

현재: 현재 어떤 상황에 처해있는지, 이 사건이 현재 내담자에게 어떤 여파

를 주고 있는지 말해주는 카드입니다.

미래: 미래에 어떤 일이 펼쳐질지, 가장 가능성이 높은 방향을 알려주는 카드입니다.

원인: 이 카드가 문제가 된 상황에 어떤 영향력을 주었던 것인지를 읽어볼 수 있습니다. 긍정적인 이미지의 카드여도 문제의 원인을 추적할 수 있습니다.

결과: '원인' 카드의 결과를 말해주며, 내가 잘 몰랐던 현재 상태를 알려줄 수 있고 어떤 미래를 가져다줄 것인지 결과를 해석해 볼 수 있습니다.

조언: 타로카드가 내담자에게 주는 메시지입니다. 이 상황에 대처하기 위해 어떤 마음가짐을 가지면 좋을지 생각의 실마리를 제공합니다.

대인관계, 연애운 리딩

나: 상대방을 향한 나의 마음 상태를 파악할 수 있습니다.

상대방: 나를 향한 상대방의 마음 상태를 해석할 수 있습니다.

미래: 두 사람의 관계가 앞으로 어떻게 흘러갈지 미래를 예측할 수 있습니다.

'YES or NO' 무언가를 선택해야 할 때

예: '예'를 선택한다면 펼쳐질 결과를 알려주는 카드입니다.

보류: '예'와 '아니요'를 모두 선택하지 않고 선택을 미루는 보류 상황일 경우 어떤 일이 벌어질지에 대해 알려주는 카드입니다.

아니요: '아니요'를 선택한다면 펼쳐질 결과를 알려주는 카드입니다.

기간을 정하고 리딩할 때

3장을 뽑아, '오늘-내일-모레' 혹은 '1개월 뒤-2개월 뒤-3개월 뒤' 등 특정 시기에 벌어질 일에 대해 알아볼 수 있습니다. 타로카드는 6개월에서 최장 1년 정도를 말해주는 마음의 거울이기 때문에 '1년-2년-3년' 등 년 단위로 리딩하는 것은 권하지 않습니다.

✦ 양자택일 배열법 ✦

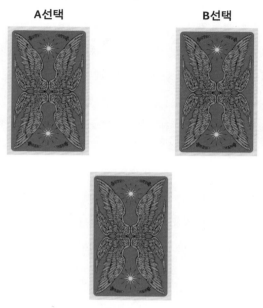

A선택　　　　　　　　　**B선택**

내담자의 마음 상태

양자택일 배열법은 두 가지의 선택지 중 어떤 선택을 내려야 좋을지를 알아볼 수 있는 배열법입니다. 'YES or NO' 방식이 대표적인 양자택일의 주제입니다. 하나를 선택하면, 다른 것은 취할 수 없는 것'이 바로 양자택일의 상황입니다.

쓰리 카드 배열법과 다른 점은 여러 선택지를 비교하면서 행동에 따르는 결과를 예측해보고, 그 결과가 어떤 의미를 주는지 풀어내야 한다는 점입니다. 또 쓰리 카드 배열법은 과거, 현재, 미래의 시간의 순서로 읽는 등 하나의 유기적인 스토리를 만들어낼 수 있는 반면, 양자택일 배열법은 '아직 일어나지 않은 사건'을 두고 예측하는, 철저히 미래 중심의 스토리텔링이 되어야 합니다. 두 선택지의 특성과 의미를 잘 읽어내며 미래에 가져다줄 결과를 읽어내는 '현재-미래형 스토리'를 만드는 연습을 해야 합니다.

　예를 들어, '오늘 점심은 A라는 곳에서 먹을까, B라는 곳에서 먹을까?'라는 선택지를 두고 카드를 뽑아보세요. 그리고 기록해둡니다. 식사를 마친 후, 나의 감정이 어떤지, 나의 선택에 대해 어떤 생각이 드는지 기록하며 타로 리딩 결과에 대해 스스로 피드백을 해보세요. 이런 작은 것부터 연습하기 시작하면 자신의 선택에도 조금씩 객관적인 시선을 갖게 되고, 내담자에게도 양자택일 리딩을 자신 있게 전달할 수 있습니다.

　양자택일 배열법에서 주의해야 할 점은 단순히 긍정적인 이미지의 카드가 나온다고 해서 좋고, 부정적인 이미지의 카드가 나왔다고 해서 나쁜 결과를 가져올 것이라고 판단하지 않도록 하는 것입니다. 카드의 이미지, 기본 키워드 등을 종합적으로 고려하면서 각 선택지가 내담자에게 어떤 의미를 가져다줄지를 깊이 끌어내는 것이 중요합니다.

　최종 선택은 철저히 본인의 몫입니다. 인간은 '자신이 가지 않은 길' '자신이 선택하지 않은 것'을 두고 미련을 갖기 마련입니다. 따라서 양자택일 배열법으로 리딩할 때는 주의할 점이 있습니다. 카드를 읽으면서 내담자의 선입견, 가치관에 영향을 주지 않도록 최대한 자신의 감정을 덜어내는 것이 중요합니다. 이 부분에서 많은 분들이 양자택일의 리딩을 어렵게 느끼시는데요. 따라서 양자택일 리딩에 자신감이 생기려면, 일상에서 선택을 해야 하는 매 순간마다 카드를 뽑고 그것을 기록해두는 셀프 리딩을 꾸준히 반복하면 도움이 됩니다.

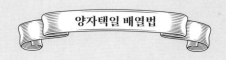

양자택일 배열법으로는 양자택일이라는 이름처럼 A선택을 했을 때의 카드, B선택을 했을 때의 결과를 알아볼 수 있습니다. '점심식사를 하러 나가는데 A식당을 갈까? B식당을 갈까?'와 같이 결과를 바로 적용할 수 있는 가벼운 질문에 대한 답을 구할 때 매우 효과적인 배열법입니다.

양자택일 배열법이지만, 카드 3장을 뽑아 리딩하는 것이 기본적입니다. 카드 2장을 배열한 뒤 단순하게 선택에 대한 결과만 알려주면 내담자에게 공감이 되는 상담을 풀어나가기가 어렵기 때문입니다. 카드를 한 장 더 뽑아 두 카드의 사이에 둡니다. 지금 이 선택 상황에서 내담자가 어떤 마음 상태인지를 들여다보는 카드입니다.

A선택   B선택

내담자의 마음 상태

이렇게 하면 내담자의 마음에 공감하면서 상담을 이어갈 수 있고, 또 내담자의 마음 상태를 읽어보는 것이 A, B라는 결과 해석에도 도움이 되므로 이렇게 3장의 카드를 배열하는 것이 양자택일의 기본적인 배열법입니다.

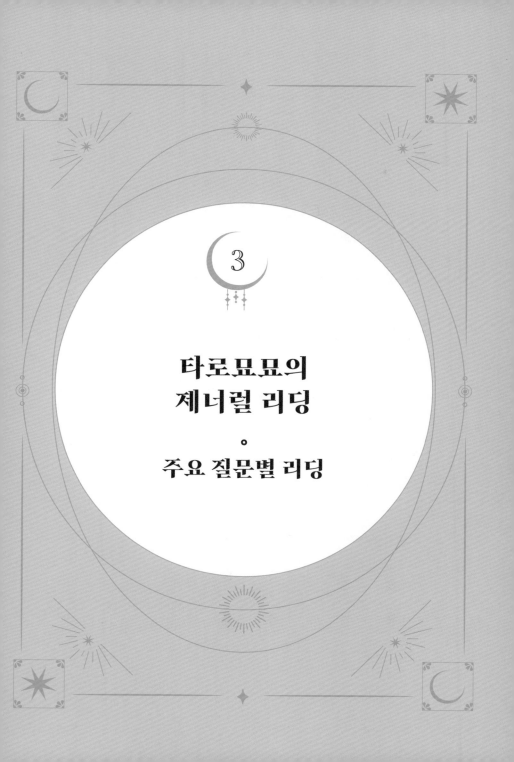

3

타로묘묘의
제너럴 리딩

·

주요 질문별 리딩

타로묘묘의
제너럴 리딩 활용법

PART 3에 준비되어 있는 주요 질문 3가지 중에서

나의 고민과 가장 비슷한 질문을 고른다.

헤어진 그 사람,
내 생각 할까?

질문의 내용을 생각하며 천천히 타로카드 셔플 후,
한 장의 카드를 고른다.

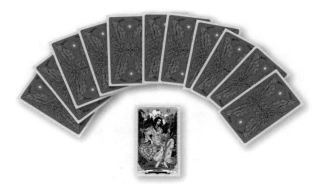

선택한 카드의 해석을 바로 찾아 읽으며
간단하게 궁금증을 해소한다.

'우리가 함께했을 때의
좋았던 기억'을
떠올리고 있어요.
곧 자연스럽게 오해가
풀릴 거예요.

"이번 달 연애운은 어떨까?"

0. 바보

낯선 곳에서 인연이 연결될 수 있습니다. 자유로운 로맨스를 기대하세요.

1. 마법사

소개, 첫 만남의 운이 좋습니다. 자신감을 가지세요.

2. 고위 여사제

속마음을 드러내기 어려운 시기. 고백하지 못하는 짝사랑에 빠지게 됩니다.

3. 여황제

대화 코드가 잘 맞는 사람이 나타날거예요. 자연을 함께 걷는 산책을 하면 더 가까워집니다.

4. 황제

이번 달은 연애보다 내 삶이 더 중
요하다는 기운이 강합니다. 연애에
대한 관심이 줄어들겠어요.

5. 교황

누군가의 소개로 새로운 사람을 만
나게 됩니다. 믿을 수 있는 사람이
니 마음을 열어보세요.

6. 연인

육체적으로 매력적인 사람에게 끌
리게 됩니다. 불꽃 튀는 로맨스가
시작될 거예요.

7. 전차

호감 가는 사람이 생기거나, 나에
게 호감을 가진 사람이 과감히 다
가올 것 같네요. 연애운이 빠르게
상승합니다.

8. 힘

'나와 정반대인 사람'에게 호기심
이 생깁니다. 호기심이 호감으로
발전될 것입니다.

9. 은둔자

연애보다 혼자가 편한 시기입니다.
짝사랑이 있다면, 이번 달은 고백
하거나 다가가지 않고 혼자 마음에
담아두게 됩니다.

10. 운명의 수레바퀴

운명적인 만남을 기대하세요. 이번 달은 '인생의 동반자'로 발전하는 인연이 나타날 수 있어요. 혹은 끊어졌던 인연이 다시 연결될 수 있습니다.

11. 정의

이번 달은 혼자 지내며 연애의 기준과 가치관을 정립하는 시기입니다. 냉정하고 이성적으로 연애를 대하는 차가운 기류가 흐르네요.

12. 거꾸로 매달린 사람

'정지, 멈춤'의 시기입니다. 호감이 생긴다고 해도 직접 행동으로 옮기기 어려운 때예요.

13. 죽음

기존 썸이나 짝사랑을 끝내게 됩니다. 사랑을 원한다면 지금 환경이나 상황을 완전히 바꿔야 합니다. 전혀 연결고리가 없던 사람과의 만남을 시작해보기에는 좋습니다.

14. 절제

서두르지 마세요. 삶의 여유와 균형이 먼저입니다. 지금은 인연을 만나기 위해 기다리고 나에게 더 집중해야 하는 시기예요.

15. 악마

'이러면 안 되는데' 싶은 바람직하지 않은 관계, 육체적 관계에 집착하게 될 수 있어요.

16. 탑

기존 관계에 '충격적 변화'가 옵니다. 머리로는 이해할 수 없는 상황이 펼쳐집니다. 순간적인 계기로 육체적인 관계를 맺게 될 수 있어요.

17. 별

이상형이 등장합니다. 당장은 가까워지기 어렵지만, 천천히 여유를 가지고 그 사람을 탐색해보세요.

18. 달

'말할 수 없는 비밀의 관계'에 놓이게 됩니다. 표현할 수 없는 짝사랑, 불륜, 삼각관계 등에 빠질 수 있어요.

19. 태양

'순수한 사랑'이 시작됩니다. 나에게 호감을 가지는 사람이 적극적으로 다가올 거예요. 애매한 썸이 아니며, 나 역시 마음을 열게 됩니다.

20. 심판

연애세포의 부활! 새로운 사랑이 운명처럼 다가옵니다. 오랫동안 기다려온 사랑이 시작될 거예요.

21. 월드

나와 잘 맞는 사람을 만날 가능성이 큽니다. 가치관, 세계관이 비슷하고 대화가 잘 통하는 사람이 나타날 거예요.

"헤어진 그 사람 내 생각 할까?"

0. 바보

이제 과거를 털어내세요. 그 사람은 더 이상 과거에 연연하지 않아요.

1. 마법사

이 사람에게 매달릴 필요가 없어요. 당신은 훨씬 더 매력이 넘치는 분입니다.

2. 고위 여사제

당신에게 품은 마음이 진심이라고 해도 숨기는 비밀이 있어요. 적극적으로 관계를 개선하려는 의지가 없다고 보입니다.

3. 여황제

'우리가 함께 했을 때 좋았던 기억'을 떠올리고 있어요. 곧 자연스럽게 오해가 풀릴 거예요.

4. 황제

자존심이 강한 상태예요. '외롭다. 보고 싶다'라고 생각하더라도 실제로 연락하거나 움직일 생각이 없습니다.

5. 교황

갈등과 오해를 풀고 싶은 생각은 있지만, 구체적인 해결 방법에 확신이 없는 상태예요. 중재자, 자연스러운 연락 소재, 연결 고리가 필요합니다.

6. 연인

'처음 만났을 때의 행복'을 떠올리고 있어요. 그 추억에 사로잡혀 연락하게 되거나 재회할 수 있습니다.

7. 전차

이미 미련을 버리고 마음이 떠났어요. 새로운 관계로 떠날 준비를 마쳤습니다.

8. 힘

'다시 만나도 같은 문제로 헤어질 것 같아'라고 생각하고 있어요. 서로 다른 점에 대해 유독 깊게 생각하고 있습니다.

9. 은둔자

'혼자만의 시간'에 집중하고 있네요. 두 분 관계에 대해 성찰하는 시간을 갖는 중이네요. 한동안 이 상태가 유지될 것입니다.

10. 운명의 수레바퀴

'결국 다시 만나게 될 것 같다'라고 생각하고 있네요. '그래도 답은 너야'라며 다가올 가능성이 큽니다.

11. 정의

당신을 향한 마음이 얼음장 같네요. 과거 두 사람 사이에 있었던 문제, 갈등을 냉정하게 바라보고 있습니다.

12. 거꾸로 매달린 사람

육체적, 정신적으로 꽤 지친 상태인 것 같아요. 두 분의 갈등, 오해, 이별을 떠올리면서 '나도 모르겠다' 하고 체념하고 있는 상태입니다.

13. 죽음

'우리는 끝났어'라고 단호하게 마음먹었네요. 두 분 관계에 미련이 없다고 보입니다.

14. 절제

이 사람은 자신에게 집중하고 있어요. 삶의 균형과 내면의 평화를 찾는 데에 몰입하고 있습니다. 한동안 혼자만의 시간을 보낼 거예요.

15. 악마

당신의 육체적 매력을 떠올리고 있군요. 두 분 관계에 대한 진지한 고민이나 성숙한 자세는 아니라고 보여요.

16. 탑

'더 이상은 복구가 불가능한 관계'
라고 생각하고 있네요. 갈등, 이별
의 원인 역시 당신의 탓이라고 생각
하며 잘못을 떠넘기고 있어요.

17. 별

'그래도 그만한 사람이 없는데'라
고 생각하고 있어요. 당장은 구체
적인 행동을 하지 않겠지만, 여유
를 가지고 기다리면 자연스럽게 다
시 만날 수 있습니다.

18. 달

이분이 가지고 있는 고민이 너무
많네요. 마음속이 복잡한 상태입니
다. 두 분의 관계보다 더 깊은 고민
에 빠져 있어요.

19. 태양

오해를 풀고 다시 잘 해보고 싶다
고 생각하고 있어요. 조만간 적극
적으로 다가올 것입니다.

20. 심판

당신에게 할 말이 남아있다고 해요.
재회 가능성이 높습니다. 우연히 마
주치거나, 자연스럽게 대화할 거리
가 생기기를 기다리고 있어요.

21. 월드

이 사람은 마음을 이미 정리했어
요. '우리는 갈 데까지 다 갔어. 더
는 새로울 것이 없고, 기대할 것이
없어'라고 생각하고 있네요.

"상반기 나의 운세는?"

타로
묘묘's
TIP

'하반기 나의 운세는?' '이번 달 나의 운세는?' 등
기간을 정해두고 보는 모든 운세에 적용이 가능해요!

0. 바보

생각만 해왔던 일을 실행에 옮기는
시기입니다. '비현실적인 목표'라
고 고민만 했던 일에 자신감 있게
도전해보세요.

1. 마법사

이름을 널리 알리게 됩니다. 유명
해지고, 능력을 인정받게 됩니다.
갈고닦은 능력을 보여주는 시기입
니다. 주목받는 상황을 즐기세요.

2. 고위 여사제

연구, 시험, 자격증 등 조용히 혼자
몰입할 수 있는 프로젝트나 공부에
조금 더 집중해보세요.

3. 여황제

노력의 결실을 맺게 됩니다. 학업,
커리어, 금전에 풍요가 넘치고 좋
은 사람들과 함께 여유를 누릴 수
있습니다.

4. 황제

주변으로부터 실력을 인정받으며 승진, 발탁의 기회가 있겠습니다. '책임져야 하는 위치'로 가는 기운이 강한 시기예요.

5. 교황

그동안의 신실하고 성실하고 정직한 시간과 노력이 사람들에게 존중과 존경의 마음을 받게 되어 리더로서의 위치에 오르게 됩니다.

6. 연인

'가슴이 뛰는 일'에 열정을 쏟게 되거나, 누군가와 사랑에 빠지게 됩니다. 활력이 넘치는 이 시기를 최대한 활용하세요.

7. 전차

이동수가 강합니다. 이직, 승진, 진학, 취업을 통해 새로운 환경에 몸을 던지는 시기입니다. 독립, 이사 등의 운도 강합니다.

8. 힘

지금은 인내와 성장을 위한 시간입니다. 버겁다고 생각할 수 있지만, 역경을 거치며 성장할 것입니다. 끝까지 포기하지 않아야 해요.

9. 은둔자

내가 무엇을 좋아하고 어떤 일을 해야 하는지 찾는 성찰의 시기입니다. 이 시기를 잘 보내면 내가 진정으로 나아가야 할 방향에 대해 자신감을 갖게 됩니다.

10. 운명의 수레바퀴

'이 길이 내가 가야 할 길이다'라고
깨닫게 되는 사건이나 계기가 있습
니다. 혹은 커리어의 변화를 만들
수 있는 제안을 받게 될 것 같네요.

11. 정의

'보상과 평가'의 시기입니다. 법적
문제, 대인관계의 갈등이나 오해가
있다면, 이 시기에 해결됩니다. 긍
정적인 결과를 원한다면 그에 합당
한 노력이 필요합니다.

12. 거꾸로 매달린 사람

정체된 기운이 강합니다. 현 상태
를 유지하는 것도 괜찮아 보입니
다. 때로 잠잠히 사색을 하면서 '바
꿀 수 없는 현실'이 주는 의미를 생
각해보세요.

13. 죽음

새로운 상황이 시작될 것입니다.
현재 하고 있는 업무나 학업 등을
끝내고, 전혀 다른 업종이나 회사
로의 이동도 될 수 있어요. 커리어
전환의 갈림길이 등장합니다.

14. 절제

너무 급하게 서두르지 말고 천천히
인내하며 노력하다 보면 성공할 수
있습니다. 더 나은 결과를 위해 지
금은 양보하고 참아야 할 때입니다.

15. 악마

자극적인 것에 끌리고 집중력이 흐
트러지는 시기입니다. 자제력을 키
우는 시기로 삼고 꼼꼼하게 계획하
고, 실행에 옮기세요.

16. 탑

예상하지 못한 이유로 상황이 급변할 것입니다. '내 길이다'라고 생각했던 전공이나 커리어에 변화가 생길 것입니다. 가치관의 혼란, 커리어 계획의 변동이 예상됩니다.

17. 별

아직 가야 할 길은 멀지만 밝은 빛을 따라가면 목표에 도달할 수 있습니다. 장기적인 관점에서 여유를 가지고 할 수 있는 일에 집중해야 합니다.

18. 달

복잡한 고민과 문제가 해결되지 않아 답답한 시기로 보입니다. 문제 상황을 외면하지 말고 하나씩 차근차근 접근하면 해결의 실마리가 보일 것입니다.

19. 태양

시험 합격, 계약 성사, 승진의 운이 강합니다. 능력을 인정받고 주목받아 유명해질 거예요. 근거 있는 자신감이 넘치는 시기입니다.

20. 심판

실패했다고 생각했던 일에서 희망을 보게 됩니다. 상황이 갑자기 긍정적으로 전환되거나, 불합격인 줄 알았던 시험에서 추가 합격할 수 있어요.

21. 월드

지속해온 학업, 업무 등이 드디어 끝이 나고 완성됩니다. 하나의 과정을 마무리하게 되며 자유로워집니다.

타로묘묘의 타로카드 레슨 · 메이저 편

발행일 초판 1쇄 2023년 11월 15일
　　　　 2쇄 2023년 12월 15일

지은이 타로묘묘

발행인 박장희
부문대표 정철근
제작총괄 이정아
편집장 조한별
책임편집 장여진
마케팅 김주희 한륜아 이현지

디자인 부가트 디자인
타로카드 일러스트 산호 SANHO

발행처 중앙일보에스(주)
주소 (03909) 서울시 마포구 상암산로 48-6
등록 2008년 1월 25일 제2014-000178호
문의 jbooks@joongang.co.kr
홈페이지 jbooks.joins.com
네이버 포스트 post.naver.com/joongangbooks
인스타그램 @j__books

중앙북스는 중앙일보에스㈜의 단행본 출판 브랜드입니다.

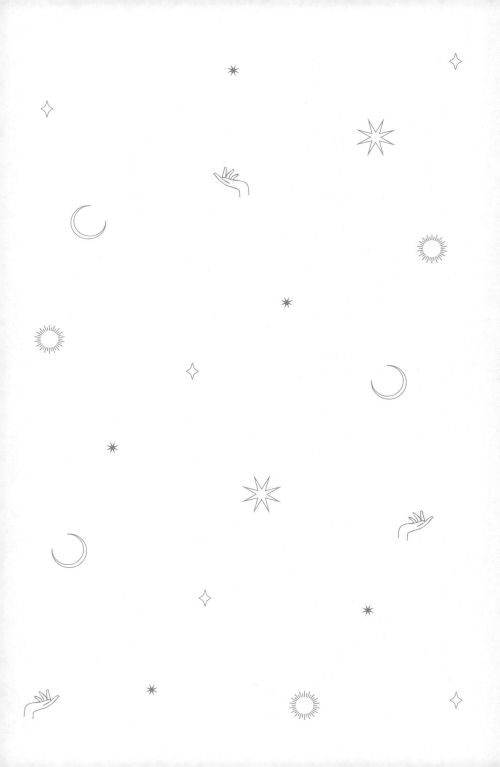